El niño olvidado

Un viaje de regreso al amor y la inocencia

Una historia verdadera de reencuentro, transformación y éxito

Mercedes Guzmán

Published by Stress Free Publishers with Mercedes Guzman Publishing www.mercedesguzman.com

ISBN 10: 1-937985-96-2
ISBN 13: 978-1-937985-96-7

eBook ISBN 10: 1-937985-97-0
eBook ISBN 13: 978-1-937985-97-4

Printed in the U.S.A.

Portada diseñada por Daniel Arzola - www.facebook.com/Arzoladaniel/

Colaboración de diseño contraportada Natalia Ruiz www.natalia-ruiz.com

Note:
Los nombres de las personas en este libro han sido cambiados para proteger su privacidad.

This is a work of nonfiction based on the author's personal experiences, case studies and interviews with people concerning their inner child experiences. Any similarity between fictitious names used and those of living personas is entirely coincidental.

AGRADECIMIENTOS

Hay una Presencia, una Inteligencia Divina que llena mi alma, mi ser, mi espíritu y me fortalece cada día. A esta Presencia DOY GRACIAS!

Agradezco infinitamente a mi esposo Daniel Guzman, ya que junto a nuestros niños interiores hemos encontrado el camino de regreso al amor y la inocencia. Con su amor incondicional tomo el papel de un espejo que me mostró el dolor que guardaba en mi subconsciente y con su paciencia ahora nuestra relación se vuelve cada días mas santa. Te amo esposo mío.

A mis hijos Yanica, Lia, Zelzen, Gerson y Enoc que escogieron en este tiempo y espacio ser mis maestros, amigos y compañeros de viaje. A través de ellos puedo ver la vida con una perspectiva mágica. El amor que siento al estar en su presencia es indescriptible! Ellos han sido el conducto para que me conectara con mi niña interior de una manera celestial. Les amo eternamente hijos míos. Son la fuerza que me impulsa a seguir cada día.

A mis padres Ana Mercedes y Juan Antonio por darme la vida y enseñarme tantos principios hermosos como la caridad, honestidad, el servicio a los demás, que formaron la mujer que ahora soy. Gracias profundas e infinitas.

A mis hermanos, Bety, Daysi, Mauricio, Carlos, les quiero mucho, por ser parte de mi niñez y mi vida. Mis tíos, tías, primos, primas, abuelos, abuelas y todo mi árbol genealógico ya que entendiendo sus experiencias, ahora todo eso llega a formar parte de el gran milagro que se ha realizado en mi propia vida.

Gratitud infinita a Xochitl Lopez mi amiga, mi hermana del alma por soñar conmigo desde que yo tenía 26 años. Juntas hemos evolucionado y ella fue la que escucho y vio la vision al principio de mi carrera y nunca dudo, sino me ha alentado continuamente. Te quiero amiga.

Agradecimientos especiales a Mariasantos Ulloa y Claudia Valenzuela por su apoyo y amor, están en mi corazón. Y cada persona que ha formado parte de mi crecimiento espiritual, gracias.

Lo que tu niño olvidado te muestra

Tu niño interior es tan real y está conectado a todo y a todos.

Tu niño interior te ayuda a recordar quién eres: "Un Ser de Luz Puro y Perfecto".

Tu niño interior crea desde el amor o puede crear desde el miedo y el mundo te muestra sus creaciones.

No hay edad para liberar tu niño interior, puede ser a los 10 años, a los 20 o a los 90.

Tu niño interior puede sanar tus enfermedades al soltar tus miedos y resentimientos.

Tu niño interior puede ayudarte a perdonar hasta a la persona que menos lo merece.

Tu niño interior tiene la magia para encontrar la pareja que tú sabes que te mereces.

Tu niño interior puede atraer el trabajo o el negocio ideal para ti.

Tu niño interior tiene la magia para soltar esas libras de más.

Tu niño interior tiene la magia para que tu estima personal se aumente.

Tu niño interior tiene la magia para liberar tus ansiedades y miedos.

Tu niño interior tiene la magia para dirigir el gobierno de cualquier nación.

Tu niño interior sabe crear milagros ilimitados.

CONTENIDO

Arturo era un joven de 15 años. Sus padres desesperados me lo trajeron para que hablara con él. Arturo dijeron, no había pasado el noveno grado y nuevamente estaba dejando varias materias, lo que significaba que si seguía de esa manera iba nuevamente a repetir el grado. Al hablar con Arturo pude ver a un jovencito bien educado, súper inteligente, sonriente, con amor al deporte, unos padres ejemplares, llenos de amor por su hijo. Pero la actitud de Arturo hacia los estudios era como "no me importa". No se sentía aceptado por sus compañeros y muchas veces hacía cosas que lo metían en problemas y esto, sin el saber, lo hacía para ser aceptado por los demás. En nuestras sesiones observe como el no se aceptaba así mismo y tenía varios complejos de inferioridad.

Cuando él tuvo la oportunidad de conectarse con su niño interior, vimos que todo había comenzado a la edad de 6 años, cuando sus padres por razones familiares tuvieron que mudarse de ciudad. El mudarse implicaba moverse a una escuela nueva, en la cual tuvo su primer problema. Un niño a la hora del almuerzo, mientras él iba caminando, le empujó y por la manera en que cayó se rompió su orejita. El trauma fue creado y la burla, el dolor y por lo que estaba pasando su familia en ese momento, le marcó de una manera dolorosa y vio la escuela como un lugar de dolor. Se volvió un niño rebelde y sin deseos de estudiar. Esto se sumaba al estrés de los padres que no podían en ese momento ver lo que realmente estaba pasando. A raíz de nuestras conversaciones, le enseñe a ganar respeto por si mismo y aplico lo que hablamos. Decidido y con su estima personal en alto, cambio su actitud y un par de años después su madre me comunico que se graduó con honores.

> *"Tu niño interior es tan real con toda su inocencia creatividad, amor propio, gozo, asombro sentido de pertenencia y belleza".*
> *Mercedes Guzmán*

En el prefacio del libro de Anthony de Mello *Awareness* hay una historia que se aplica a la mayoría de nosotros en relación a lo que se nos programó como niños y por esa razón nos cuesta aceptar nuestra grandeza y vivimos una vida mediocre, sin sentido. Al entender quiénes somos, reconectar y reprogramar tu niño interior, podemos sin duda volar sin límites.

"Un hombre encontró un huevo de águila, lo puso en un nido en su gallinero. El águila salió del cascarón junto con la cría de pollitos y creció con ellos. El águila creció haciendo toda su vida, lo mismo que las gallinas hacían. Escarbó la tierra en busca de gusanos e insectos. Hizo los mismos sonidos de las gallinas, cacarear. Él movía sus alas y volaba unos metros arriba en el aire.

Los años pasaron y el águila se envejeció. Un día vio un ave suntuosa volando en el cielo azul. Se deslizaba en hermosa majestad entre las corrientes de aire de gran poder, con sus fuertes alas doradas apenas sin mucho esfuerzo. El viejo águila vio con asombro esta ave. "¿Quién es?" preguntó. "Ese es el águila, el rey de los pájaros," dijo su vecino. "Él le pertenece al cielo. Nosotros le pertenecemos a la tierra". Así que el águila vivió y murió como una gallina, lo que él pensaba y aceptó toda su vida que era".

Como adultos no estamos conscientes de que nuestro niño interior mora todavía en nosotros y que este aceptó ideas erradas y creó una persona de acuerdo con el ambiente en el que creció. El no estar consciente de ello, produce que tantos problemas emocionales nos lleven al fracaso en varias áreas de nuestra vida.

El derecho del ser humano o sea Tú que lees este libro, es tener todo lo que tu corazón anhela, prosperidad, salud, relaciones santas, una vida llena de propósito.Vivir de la manera más alta y hermosa que se pueda imaginar de acuerdo con tus más altos deseos.

El crear una vida grandiosa en todos los aspectos es posible cuando sueltas las ideas erradas que aceptaste sobre ti, sobre la vida, sobre los adultos.Ir entendiendo, observando y ser consciente de que los ciclos se repiten,te confirmará que tus padres fueron también programados por sus propios padres, muchas veces peor de lo que ellos hicieron contigo.Tu vida es un espejo, te va mostrando lo que tu subconsciente tiene que soltar. Esto que tienes que soltar, viene a ti por medio de circunstancias o experiencias que regresan y te pasan una y otra vez, dejando un sabor amargo, ya sea en relación a tus finanzas, salud, pareja o estima personal. El hecho es que pensamos que somos adultos, pero realmente no lo somos, el verdadero poder es que tú tomes la responsabilidad de amar, que tomes la patria potestad de tu propio niño interior. Tienes que entender las ideas, creencias, paradigmas que él aceptó, las cuales fueron impuestas por la sociedad, religión, cultura, o familia. Es necesario que tomes consciencia sobre cómo estas creencias están dominando y controlando tus relaciones, tu salud, tu trabajo, tu vida. Si logras esto ya tienes en tus manos la opción de disfrutar de ser un adulto consciente, creativo, feliz y lleno de amor por ti mismo y tus semejantes.

Hemos escuchado que somos los arquitectos de nuestro propio destino, que somos el arte, así como el artista. Pero ¿quién es el que realmente está creando? Carl Jung decía: *"Hay alguien en mi cabeza y no soy yo"*. La respuesta está en TU NIÑO INTERIOR, programado con medias verdades, mentiras completas y que hoy en el presente gobiernan tu vida y tú no te has preguntado, ni cuestionado la causa de tu comportamiento.

Este libro está escrito con el deseo de que encuentres las respuestas a los porqués de tu comportamiento. Al hacerlo, podrás perdonar, perdonarte, soltar tus miedos, creencias limitantes y vivir la vida que has anhelado y que sabes que puedes lograr, pero que no habías podido alcanzar. Así te transformarás en el buen samaritano para tu niño interior, ya que este, esta abandonado, golpeado en el camino y muchos pasan de largo, sin acercarse. Hoy acércate, levántale, cuida sus heridas, dale de comer y asegúrate que nadie le hará daño nuevamente. Es responsabilidad de cada quién recordar quiénes somos.

CAPÍTULO 1:

El re-encuentro con mi niña interior

"Nuestro dolor, nuestras heridas emocionales están haciendo que nos alejemos unos de otros". Mercedes Guzmán

Joe Dispenza, un doctor en Bioquímica, dijo: *"Somos los creadores de nuestras realidades. El problema es que un 95% de nuestros pensamientos inconscientes crean esa realidad. Son programas que funcionan justo debajo de nuestra conciencia y que memorizan comportamientos, pensamientos y reacciones emocionales".*

Estos programas son los que crean esa química en el cerebro que nos hace reaccionar siempre de la misma manera.

Personalmente el aceptar que YO era la causa de mi dolor, era un concepto muy confuso, extraño y doloroso que no podía digerir tan fácilmente, ¿Cómo era posible que Yo estuviera creando tanto dolor? Al ir despertando a este nuevo conocimiento, comprendía que yo creaba mi realidad de dolor, ira, temor. Luego aplicaba las técnicas aprendidas, meditaba, oraba, rogaba. Pero después, otra vez me volvía a pasar lo mismo. Entonces me desesperaba lloraba, gritaba, maldecía. Pero tanto era mi dolor que tenía que seguir, no había vuelta atrás. En mi dolor, había decidido salir adelante, entenderme, liberarme de tanta ansiedad, miedos e ira, no importaba que, poco a poco iba entiendo el proceso. Me tomó mucho tiempo comprenderlo, pero ahora que veo hacia atrás, todo, todo valió la pena y es tan claro.

Es mi intención que con, este manual de mi vida, no te lleve todo el tiempo que me tomó a mí el no entender tempranamente que había una niña olvidada, abandonada, juzgada a la que no le ponía la atención necesaria y que 'ella' estaba dictando mi realidad presente.

Quiero agregar que no estás solo en este proceso, hay mucha ayuda más allá de la que te puedes imaginar: ángeles, guías especiales, una Inteligencia Divina que te apoya en todo. Lo único es que tienes que pedirla y estar abierto al proceso, ya que ellos no pueden sobrepasar tu libre albedrío. Además cuando te desesperes porque las cosas no están saliendo como quieres, habla con tu niño interior, ya que muchas veces el está haciéndote sentir todo esto. Un niño no tiene concepto de tiempo, lo quiere todo ya mismo. Recuerda esto en tu propio proceso.

El propósito de escribir este libro es que, con mi historia, mis estudios, los estudios hechos por muchos expertos, puedas llegar a entender el origen de tus creencias que como niño aceptaste, estas creencias venían de tu ambiente, circunstancias, familia, religión. Al ir creciendo no tenía otra opción, pues en la mente del niño "los adultos eran los que más sabían". Vale aclarar que el ir a tu pasado y entender a tu niño interior, NO representa irte a quedar o condenar a tus padres, o a las personas que te criaron sino, por el contrario, perdonar y entender a los agresores, este proceso no es por ellos, sino enteramente para tí. Debes guiar a tu niño interior, de una manera amorosa, a su inocencia y volver al amor.

Estas creencias sobre ti mismo, el dinero, las relaciones, la vida, la muerte, re-programaron en tu subconsciente. Cuando entiendes el origen de tus programaciones, de lo que te pasó de una manera consciente; este conocimiento te lleva a enseñar, entrenar a este niño interior con las diferentes técnicas que tú, como adulto has aprendido, para que sueltes y sanes lo programado que te está produciendo tanto dolor, problemas o inseguridades y luego vivir la vida que sí te pertenece desde el adulto consciente e inteligente en el que te has convertido.

¿Cómo entro en el camino del niño interior?

Todo comenzó alrededor de 1997 cuando vivíamos en Beaumont, Texas, acababa de nacer mi cuarto hijo, mis padres por primera vez pudieron entrar a los Estados Unidos, pues no tenían visa para viajar, y tuvimos que solicitar desde aquí, sus visas de residentes. Fue así que antes que naciera mi cuarto hermoso hijo, Gerson Abrael, vinieron mis padres a vivir con nosotros en un apartamento de tres habitaciones, en un área no muy bonita de la ciudad.

Me casé en mi país, El Salvador, con Daniel, un americano-hispano de Corpus Christi, Texas. Él llegó con una compañía de Texas a reconstruir la Embajada Americana dañada por un terremoto, en 1986. Ellos buscaban una secretaria ejecutiva y fue así que nos conocimos. Él era mi jefe, un hombre muy bueno, un joven de 29 años. Nos enamoramos, nos casamos, vivimos un par de años en El Salvador y luego en 1991 nos mudamos a los Estados Unidos. Para ese entonces estaba embarazada de siete meses de mi primera hija, Me tocó vivir el sentimiento de ser un inmigrante, aunque venía legalmente, pero experimenté confusión al venir a vivir a una tierra totalmente diferente en muchos aspectos al de mi pequeño país, El Salvador. Sin mi familia a quien acudir en los detalles más pequeños, tuve que aprender a ser madre, ama de casa, esposa, manejar en calles tan grandes y aprender un idioma nuevo como el inglés.

Durante dos años viví en una tristeza muy aguda, y mi deseo interno era regresar a mi país. Tenía un pie en Estados Unidos y el otro, en El Salvador con un sentimiento de inestabilidad, ansiedad y mucho resentimiento.

Hasta que un día leí algo que tocó mi ser y dije: "Tengo que cambiar, no puedo seguir así". La frase era: "Si piensas que ya viviste lo mejor de tu vida, ya lo viviste". Yo sabía que todavía me faltaba lograr y vivir muchas cosas, y fue así que tome la decisión de enfocarme donde estaba y seguir adelante. Este proceso no fue fácil, pero cuando me comprometo a algo, lo hago con todo mi ser.

Para el tiempo en el que mis padres llegaron a los Estados Unidos, ya había pasado varios años de aprendizaje y adaptación, ya que tres de mis hijos habían nacido, leía muchos libros, y me mantenía ocupada tratando de hacer lo mejor posible con lo aprendido.

Pero cuando ellos llegaron, algo muy incómodo y frustrante me sucedió. Sentía tanto enojo e ira hacia mi madre que inconscientemente se lo transmitía mis hijos. Cuando no sabía cómo solucionar un problema o qué hacer con mis pequeños, les gritaba, golpeaba, me volvía iracunda y después me sentía culpable, mal conmigo misma y muy desesperada. Después me di cuenta de que esto se agudizó cuando mis padres llegaron pero yo ya vivía este círculo de dolor antes de que ellos llegaran, pero no era tan evidente para mí.

Posteriormente me escudaba en que estaba cansada, que los niños no obedecían o que ellos eran el problema. O decía que eran mis nervios, culpaba a mi esposo por no ayudar o por no decir lo que pensaba. En ese entonces, la mayor de mis hijos tenía solamente cinco años.

> *"Observa tus emociones: enojo, tristeza, culpa, vergüenza, dolor, envidia, odio, rencor Estas contienen la llave que abren las memorias que día a día viviste en tu niñez y que ahora día a día se repiten en tu vida".* Mercedes Guzmán

Observaba en ese entonces que si mi madre se quejaba de algunos de mis hijos, me irritaba fácilmente y frente a ella agarraba al niño, le daba unas nalgadas. Luego le gritaba a mi madre ¿Ya estas satisfecha? La ira que sentía era ilógica, era como si quisiera castigar a mi madre por algo que no podía entender. Esto me producía mas culpa, desesperación y angustia.

Fue entonces que empecé a pedir ayuda al Universo. Recuerdo que en ese tiempo asistíamos a la iglesia mormona y allí en silencio, sintiéndome un fracaso, con una culpa que me ahogaba, yo pedía a Dios que me ayudara, ya que llegué a detestarme, odiarme de alguna manera, por el dolor que sin querer infringía a mis niños, a mi esposo, a mí misma, a mi madre, pero no sabía cómo parar, era como si algo se apoderaba de mí y solamente reaccionaba, fuera de control.

Mi padre sufrió una enfermedad cerebral y quedó incapacitado. Él solamente dormía, comía, iba al baño, se bañaba y mi madre lo atendía. El padre con el que crecí se había marchado. Aquel hombre feliz, compasivo, lleno de optimismo, había desaparecido. La enfermedad en su cerebro apagó su mente. Lo único que sentía era mucha lastima por él.

"Pide y se te dará" dice el Evangelio. Le pregunté a muchas personas si conocían a alguien que me ayudara con mi "problema de nervios". Una hermana de la iglesia, me refirió a un señor llamado Juan de Dios. Él era un hispano que hacía "Regresiones a la Niñez" un concepto que me pareció súper interesante y fui a verle. En mi Ser yo sabía que era algo sicológico lo que me estaba pasando. Lo que pasó después de estos tres encuentros con Juan de Dios, fue lo que transformó mi vida y por esas sesiones de regresiones a mi niñez, hoy ayudo a miles de personas alrededor del mundo a sanar su niño Interior.

Tomé los datos de Juan de Dios, me dijeron que el recibía personas en su casa. Le comenté a mi esposo y decidimos ir a verle. Mi esposo y yo llegamos a su casa, un ambiente tranquilo, una casa sencilla, un señor muy amable que te hacía sentir en paz. Platicamos un rato sobre cómo el había comenzado a hacer lo que hacía, nos encantó su manera tan relajada de ver la vida. Luego nos condujo a su oficina que estaba en el piso superior de la casa. Recuerdo que allí se desarrolló este diálogo:

-Hola Mercedes ¿Cómo puedo ayudarte?

-Siento que son mis nervios- le respondí, tratando de darle sentido a lo que me pasaba. Es que me enojo fácilmente con mis hijos, les grito, los castigo y no quiero hacerlo, pero automáticamente lo hago, y me siento muy mal conmigo misma.

-Vamos a explorar qué pasó en tu niñez, para ver qué está provocando este estrés en tu vida presente. Cierra tus ojos, respira profundo varias veces y llévame a la primera imagen que recuerdes de tu madre.

-Tengo tres años- le respondí. Estoy jugando en el piso con mi hermanita, mi madre está parada de espalda, mira la calle.

- ¿Esta imagen es en blanco y negro o a color?

-En blanco y negro – afirmé.

Este fue el comienzo de la re-conexión con mi niña interna. Las memorias que fluyeron a mi mente de mi niñez, fueron memorias muy tristes. Había, gritos, soledad, palizas, miedo, pobreza, frases dirigidas a mí por mi madre constantemente me decía: "¡Que malcriada eres, que hipócrita, metida, mentirosa, no agradeces!" Memorias de pobreza al ver los muebles que teníamos, la ropa que usábamos. Veía a mi madre siempre enferma y enojada con mi padre o con la vida. Tenía sentimientos de culpa y vergüenza porque a mis pequeños 10 años, sufrí abuso sexual por parte de una muchacha a la que mi madre le había dado trabajo y se quedaba en la casa y dormía conmigo, y me tocaba. En mi mente, yo era la culpable de lo que me había sucedido por haber experimentado sensaciones 'indebidas'. Nunca imaginé que toda la locura, la desesperación que estaba pasando en el presente, hubiera tenido su origen en mi niñez. Era tan sub-real, pero estaba pasando y me sentía sin fuerzas, humillada, enojada y totalmente desconectada.

Estas regresiones a mi niñez me hicieron ver que, sin saber e inconscientemente, la que estaba criando a mis hijos reaccionando, gritando y pegando, era la niña de 10 o 14 años que había guardado en su cuerpo emocional memorias de tanto dolor y ahora al ser madre y tener que convivir con mi madre en el mismo techo, después de tantos años de estar separadas, disparaban en mí todo lo guardado en mi cuerpo emocional.

Regresé dos veces más a ver a Juan de Dios y cada vez, me quedaba más asombrada de todo lo que mi alma recordaba y sanaba en relación a lo que había vivido en mi infancia.

Estudios demuestran que el 90 por ciento del cerebro de un niño se desarrolla en los primeros 6 años; estos primeros años de vida son esenciales para el desarrollo de la forma en que el niño piensa, siente, se comporta e interactúa con los demás.

Thurman Fleet, creó la figura de la mente en 1940, y dijo que la mente esta divida en dos: Consciente y Subconsciente. Ahora el Biólogo Bruce Lipton asegura que los neurocientíficos han comprobado que la consciencia no se desarrolla hasta los 6 años y que el cerebro en los niños está en una frecuencia llamada Theta, una frecuencia hipnótica. O sea, un niño de 6 años no tiene el poder de analizar "lo que está pasando entre papá y mamá me está afectando" sino que lo va guardando en el subconsciente. Es como una cámara, grabando todo.

"DE REGRESO A LA INFANCIA"

Durante mis primeros cinco años de vida, pasaron muchas cosas en mi familia. Mis padres eran comerciantes en pequeño, como se les llama a las personas que trabajan en el mercado, con una mentalidad de pobreza, no asistieron a la escuela y fueron criados por padres que tampoco asistieron la escuela. Al no tener una educación didáctica, sin poder leer ni escribir bien, batallaban para proveer y mantener a la familia.

Los estudios demuestran que los niños que reciben cuidado infantil de calidad tienen habilidades lingüísticas más avanzadas, se desempeñan mejor en la escuela, tienen menos problemas de conducta, y mejor desarrollo social. Datos dados a conocer por First 5 LA

Durante mis primeros 3 años de vida, por la pobreza mental de mis padres y sus limitaciones vivíamos en lo que en mi país le llaman mesones o casas para gente muy pobre. Fue en este lugar donde había jóvenes que abusaban sexualmente de niños pequeños como nosotros que apenas teníamos entre 3 y 5 años.

Mi padre, desde los comienzos del matrimonio empezó a tomar alcohol y peleaba constantemente con mi madre, hasta el punto que mi madre se fue de la casa estando embarazada de la primera bebe que nació prematura y murió. La segunda vez se fue con mi hermana que era una bebé. Al irse de la casa la primera vez, buscó apoyo en sus padres, pero estos no la ayudaron. Al verse sola, regresó a vivir con mi padre nuevamente. Mi madre tuvo 6 hijos, la primera y la última murieron pero en 4 años y medio habíamos nacido cuatro hijos: dos mujeres y dos hombres, yo era la segunda.

Por los problemas de dinero y por no poder mantener una familia tan grande, mis padres decidieron irse a vivir con mi abuela materna, la abuela María, una mujer criada en el campo, sin saber leer o escribir. Ella quedó viuda de mi abuelo y nunca se volvió a casar. Ella por su manera de ser no quería mucho a mi madre y mi madre, con una actitud muy fuerte, le demostraba que tampoco la quería. Había rivalidad entre ellas al principio. Al final de los días de mi abuela, llegó a amar mucho a mi madre, pero en mis primeros cinco años de vida, lo que pude sentir era solamente enojo e ira entre las dos.

Mi niña interior y las prostitutas

La casa de mi abuela, donde fuimos a vivir, quedaba en una esquina en una vía donde transitaban muchos carros, una zona donde había muchas casas de prostitución, así como negocios. Mi madre, una mujer criada por mis abuelos que fueron comerciantes y creció en el mercado, con necesidad y mente de comerciante, vio una oportunidad de abrir una 'tiendita' para proveer una entrada de dinero a la familia y decidió vender cosas necesarias, como leche, pan, frijoles, arroz, dulces.

"Las mujeres de la vida alegre" como les decía mi abuela, las prostitutas, llegaban a comprar a la tienda y recuerdo, cómo mi abuela, agarraba una vara o palo y hacía, sin que ellas vieran, como que les iba a pinchar las nalgas, ya que usaban vestidos bien cortitos. Todo esto lo recuerdo claramente, como si fuera ayer. Mi mentecita se hacía tantas preguntas: ¿Quiénes son esas mujeres, qué hacen, porqué usan tanto maquillaje y vestidos tan cortos?, ¿por qué mi abuela tiene esa sonrisa rara, cuando ellas llegan? Muchas veces deseé entrar en una de esas casas y ver lo que había adentro, ya que siempre me ha encantado saber más allá de lo que ven mis ojos y a mis cinco años no era diferente.

Como en todas las épocas del ser humano, se considera a las personas que toman como profesión a la prostitución como alguien denigrante y se vuelve un tema tabú, negando, ocultando su existencia, no se le da un estudio, no se trata de entender el por qué de la vida de estas mujeres, sino que es preferible no abordar el tema abiertamente, ya que se considera algo vulgar, por lo consiguiente se mantiene todo en secreto. Lo interesante es que esto pasa todo el tiempo. Si realmente se les educara e informara a las personas de este mundo en el que viven muchas mujeres, serían mas compasivos ya que como todos, son seres humanos, niños interiores programados, abusados y otros no ven la opción de hacer dinero de otra manera y entran en este estilo de vida.

Mi familia no era la diferencia, aun viviendo diariamente en medio de ellas. Esto era un tema que se mantenía al margen de todas las conversaciones, pero las creencias y paradigmas sobre esta vida de prostitución se seguía viviendo en la mente de los adultos y para muchos hombres el asistir a estos lugares es parte de sus vidas secretas.

A mis cinco años de edad no entendía qué pasaba, pero asumía que era algo raro y que no se podía hablar claramente del asunto, sino entre dientes.

Mi niña interior y la exclusión

En la casa de mi abuela también vivían otros primos, hijos de un medio hermano de mi papá, estos eran jóvenes ya mayores, o sea que vivíamos alrededor de 10 personas en una casa de 4 cuartos y un baño. Ya te imaginarás el sentimiento de exclusión que se respiraba en el ambiente. Viviendo en lugares que no eran nuestra casa, es donde acepté inconscientemente que yo no pertenecía. Un sentimiento que muchas personas sienten y no se toman un momento para preguntarse de dónde lo aceptaron.

> *"Muchas veces lo que cuenta, no es lo que te pasó realmente, sino cómo tu niño interior, interpretó lo que le estaba pasando".* Mercedes Guzmán

Una de las primeras memorias es que en ese tiempo, a mis cinco años, mi hermana y yo queríamos huir de la casa. Recuerdo que escondimos una caja de cartón debajo del ropero, donde mi mente me dice que íbamos a poner ropita para luego, tomar esta caja y huir.

Yo ahora le pregunto a mi hermana si se acuerda y ella dice que no. Pero mi madre cuenta una historia de que mi hermana a la edad de 4 años, un día en el mesón, cuando mi madre no vio, me tomó de la mano y caminó conmigo unas cuadras por calles bien transitadas y llegamos a donde estaba mi abuela, yo tenía solamente tres años. O sea que eso me dice, el estrés que se vivía en la casa y cómo deseábamos calmar ese sentimiento huyendo. Sé que esto fue real para mí, y que pasó, porque eso mismo hice yo inconscientemente con mis hijos. Dije expresiones a mis niños de cinco, seis años, como "vete de la casa, si no quieres obedecer, váyase a ver quién le quiere, los voy a llevar a una familia que los termine de criar". Si esto no fue implantado en tu niñez, es bien difícil que lo digas fácilmente y a mí me salía todo el tiempo.

Tuvo que pasar algo similar o peor. Por ser un niño y no entender el concepto, lo que haces es guardar estas memorias, que luego tendrán que salir en algún momento en tu vida, y tristemente estas se manifiestan con tus propios hijos o tu pareja.

> *"El subconsciente repetirá de una manera similar, experiencias en la vida del adulto, eventos que provocaron un choque emocional en el niño".* Mercedes Guzmán

Por alguna razón hay un recuerdo en el que me veo sentada en la mesa con todos mis hermanitos y en mi mente de niña, está pasando un sentimiento bien claro: "los adultos en la casa nos quieren envenenar".Lo que sentía era que estorbábamos y no nos querían, porque molestábamos. Hoy sé que ese sentimiento se debía a la inseguridad que mi madre tenía en una casa que no era de ella, con tantos niños pequeños y con toda la ignorancia sobre cómo hacerlo mejor. Esta vida que vivía mi madre constantemente la volcaba en regaños y maltratos a nosotros, sus hijos, y luego mi abuela, a la vez que nos corregía con mucho enojo e ignorancia. Pero un niño no entiende esto, sino que simplemente lo guarda.

Quiero decir que sí hay algunas memorias bonitas de esa época, lo importante es mantener esas memorias. Pero entendí, con todo el estudio que he hecho, que lo importante es soltar las dolorosas, para poder vivir una vida llena de paz ya que el dolor opaca las cosas bonitas que pasaron.

Mi niña interior y su padre

Dos meses antes de casarse con mi madre, mi padre fue apresado por la guardia nacional, supuestamente por robar vacas, lo cual no era verdad y fue torturado de una manera brutal por los guardias, le pusieron una bolsa llena de cal en la cabeza de mi padre al punto de su desmayo, para que confesara.

Los hermanos de mi padre lograron rescatarlo de las manos de esta organización que quebraba todos los derechos humanos posibles. Al salir de esta tragedia su mente no quedó clara. Pensamos que esto le provocó el comienzo de una esquizofrenia.

No saber lo que le estaba pasando a mi padre, producía muchos pleitos entre mi madre y él. Mi padre trataba por todos los medios de hacer algo y pedía dinero prestado todo el tiempo. Alguien le prestó dinero para comprar un cerdo. Recuerdo que una madrugada mataron al cerdo en el patio grande de la casa de mi abuela para luego ir a vender la carne al mercado. Pero también recuerdo la sensación de que no importaba qué tanto mi papa hiciera, no ajustaba el dinero y mi madre siempre estaba enojada por ello. Cuando se mataban estos cerdos en la casa se escuchaban ruidos raros. Un día desperté y fui a ver. Y la sensación que se respiraba en el aire, que ahora puedo explicar era "esto es ilegal, no le digas a nadie".

> *"Hay una creencia de que no hay que explicarles a los niños lo que pasa, porque se asume que lo niños no entienden. Algo totalmente falso". Mercedes Guzmán*

Luego nos levantaban y temprano nos llevaban a la guardería del "Hogar del Niño" un lugar para niños con bajos recursos, donde nos dejaban gran parte del día. Recuerdo que no me gustaba ir, yo lloraba mucho, pero al llegar allí, nos recibía una señora muy amable llamada Juanita. El sabor y olor de los frijolitos y huevitos picados del desayuno, quedaron en mi memoria, ya que eran muy deliciosos.

Nos enseñaban algunas cosas y luego nos ponían a dormir en el suelo. Muchas veces nos llenamos de piojos y tenían que darnos medicina para que se murieran. Fue aquí donde mi padre se dio cuenta de que al pasar a kínder puede enviarnos a una de las mejores escuelas de monjas donde recibían niños de bajos recursos.

La religión y mi niña interior

En ese tiempo que vivimos con mi abuela fue que aprendí a temer a Dios, ya que todo era "Dios te va a castigar". Mi abuela no confiaba en nadie. En mi vida de adulta, empecé a hacer lo mismo, no confiaba en dejar mi cartera por ningún lado o con nadie, siempre temía que me fueran a robar. Ahora entiendo donde se programó todo ello.

Mi abuela tenía un altar con todos los santos que ella adoraba y si se le perdía cualquier cosa, se arrodillaba y en voz alta pedía a San Antonio que le encontrara lo que se le había perdido.

Muchas veces gritaba feliz, que gracias a San Antonio bendito había encontrado la peineta que alguien le había robado o ella no sabía donde la había perdido. Entonces asocié, que hay un poder mayor que te ayuda o te castiga, dependiendo de cómo te has portado.

El paradigma de la religión es aprendido por el niño en sus primeros años de vida. Si los padres son católicos, pentecostales, mormones, testigos de Jehová, musulmanes, usualmente eso es lo que seguirá de adulto y aunque conscientemente sienta que esta religión ya no le llena y quiera salirse de la creencia de sus padres; esto le provocará una ansiedad por el sentimiento de culpa por abandonar una creencia que ha sido implantada en el sub-consciente. Esto hace que para el adulto no sea fácil salirse de la religión de sus padres. Es por eso que muchos se inclinan al vicio o realizan actos muy autodestructivos, cuando "se salen del camino".

Santa Claus y mi niña interior

A mis cinco años, me di cuenta de que Santa Claus era malo, ya que yo me portaba bien y nunca me dejaba nada bueno para Navidad. Mi mente recuerda un 24 de diciembre, en particular, recuerdo que le pedí a mi prima que tenía como unos 15 años que me ayudara a hacerle una carta a Santa Claus. En la carta pedía una muñeca hermosa con un vestido de novia, junto a su novio. Al día siguiente lo que encontré fue una muñeca plástica, que ni los ojos movía. Era lo que con unas monedas mi prima pudo comprar para que al menos, tuviera algo. En mi mente de niña que no entendía, y con ese resentimiento me volví rebelde y grosera.

La muerte y mi niña interior

A mis cinco años, aprendí sobre la muerte de maneras tristes y trágicas. La primera muerte fue la de la última bebé que tuvo mi madre. A, ella la dejaron en el hospital y mi padre llevó la bebé muerta a la casa y la enterraron en una ceremonia muy reducida.

Nosotros éramos pequeños y nadie nos explicó nada. La segunda muerte sucedió cuando ya había comenzado la guerra en mi país y había estado de sitio, por los enfrentamientos entre los guerrilleros y el ejército. Recuerdo claramente una mañana, una persona de estas que iba al lugar de prostitución que quedaba a dos casas de donde vivíamos, amaneció muerto. Por la falta de educación, los adultos creían que los niños no entendían y nunca daban explicaciones. A todo lo que veías le tenías que dar sentido de alguna manera y aún tengo tan presente cómo un grupo de personas se acercó a ver "al muerto" y allí quedaba todo.

Las preguntas sobre: "¿qué pasaba después, dónde se iba el cuerpo, dónde se iba el alma?", no se decían, solo en cuentos de miedos que contaban los adultos, para calmarte si estabas llorando. Por ejemplo, nos decían: "cállate que te va a venir a llevar la muerte" o "cállate o el gato te va comer la lengua" o escuchábamos las leyendas de la 'carreta bruja' o 'el cipitio'.

Por la misma época, un niño de nuestra edad atravesó la calle y un carro lo atropelló. Mi madre empezó a gritar tan desesperada, que tuvieron que auxiliarla, porque pensó que era uno de nosotros. Pero nadie me dijo a mí qué estaba pasando y quedé traumatizada por ver cómo la vida se iba en un segundo.

La vergüenza, la culpa y mi niña interior

Cuando cumplí 6 años, me encontraron una hernia y fui operada en el hospital para personas de bajos recursos y como era una niña con ojos verdes y pelo rubio, fui bien atendida por las enfermeras. Me sacaron a las dos semanas y no podía caminar. Recuerdo a mi papá que me había cargado en sus brazos para subirnos al bus ya que mi padre nunca aprendió a manejar un auto y tampoco lo tenía. Sentí pena de que la gente me viera que mi papá me cargaba. Sentía que eso no era bueno, que ya era grande y que cómo alguien puede hacer eso por ti. Este es un sentimiento que padecen muchos niños: "El sentimiento de no merecer".

Al llegar a la casa, mi abuela estaba feliz de que yo regresara. Pero luego de eso tengo recuerdos de peleas con mi abuela, ya que a lo mejor me trataba de pegar o regañar y yo no me dejaba.

También recuerdo cómo yo arañaba sin necesidad a alguna compañerita de mi clase. Ahora entiendo que me volví agresiva por todo el enojo que se vivía en la casa. No entender lo que estaba pasando, se manifestaba en agresión a los demás. Y fue también que empecé a recibir palizas más frecuentes de mi madre, ya que no me dejaba agarrar, y eso la frustraba más, sabiendo que no me podía controlar y me golpeaba o castigaba más.

> *"El dolor emocional en un niño, le vuelve a este, un niño agresivo o un niño retraído".*
> — *Mercedes Guzmán*

Las brujas y mi niña interior

En ese tiempo aprendí que 'hay brujas que le hacen mal a la gente', ya que eso decían todos, pero no explicaban, solamente mencionaban que esta señora se llamaba 'vieja Aida' y que ella nos había embrujado. En este tiempo se empezó a vivir un fenómeno en la casa.

Esta señora, años después me di cuenta, le había hecho 'mal' a la casa y por eso se escuchaban ruidos en la noche, le pegaban a las puertas, se escuchaban pasos, supuestamente se veía luces por todos lados y era una época de mucho miedo, pero por la ignorancia de los adultos, pensaban que los niños no entendían y no explicaban que pasaba ya que ni ellos sabían. Esto creó en mi un sentimiento de que "otros te hacen mal, los otros tienen la culpa de tu problema, no tienes control de ello, ni lo puedes evitar". Para callarnos cuando llorábamos, mencionaban que la carreta bruja iba a venir a llevarte, o el gato te iba a comer la lengua.

Hay estudios que demuestran que, cuando el niño no entiende lo que está pasando en el hogar, guarda toda esta energía en su cuerpo emocional. Así queda este miedo acumulado en lo que yo le llamo el niño interior. Produce un miedo infundado en ciertas experiencias, volviéndole un adulto ignorante de sus paranoias e inseguridades.

Mis padres estaban cansados de vivir con mi abuela pero sin poder salirse de la casa. Mi abuela decidió vender la casa, mi padre sintió que era tiempo de irnos a vivir solos. Con un pequeña cantidad de dinero que mi abuela le había dado a mi padre por ayudarle a vender la casa mis padres lograron comprar una casita en una colonia, lejos de donde mi abuela compró su otra casa. Con muy pocas cosas, nos fuimos a vivir a esta casita muy humilde que constaba de un baño, dos cuartos, una cocina, sala y comedor.

Ya para ese entonces, mis hermanos y yo habíamos hecho la transición de la guardería para el kindergarten de una escuela de monjas que recibía niños de bajos recursos, llamada La Escuela Santa Sofía. Esto representaba que crecería con una buena educación escolar.

CAPÍTULO 2

La mente subconsciente - Tu niño Interior

Los Kahunas, sacerdotes de Hawaii creían que el Yo básico o "niño interior" era la sede de la memoria, lo que llamamos mente subconsciente

¿Qué es la mente subconsciente? Es la parte de la mente que ha recibido las órdenes y actúa automáticamente, inadvertidamente, sin darse cuenta y en general no depende de la voluntad. Si está programada negativamente, puede llevar a acciones dañinas o peligrosas, sin tener en cuenta las consecuencias, ni los riesgos. Es aquí donde radican todos los paradigmas, toda una gama de creencias aceptadas por tu niño interior. Esto crea una vida prestada, no vives tu vida ya que una gran mayoría solamente son ciclos que inconscientemente vienes cargando de tus padres, abuelos o familia que influyó en tu crianza.

El psiquiatra infantil británico, D.W. Winnicott, afirma que en nuestra niñez "pasaron cosas que no debieron pasar y cosas que debieron pasar, no pasaron". La primera es los abusos, abandonos y toda clase de secretos que se dieron. La segunda es que, a esos niños que no fueron abusados, se les dio casa y comida pero el padre amoroso no estuvo presente debido al estrés y a las demandas de la sociedad. Es lo que se llama abandono próximo.

En la Universidad de Harvard han estudiado personas violentas y han comprobado que los más violentos fueron víctimas en su niñez de una manera tal que la dureza de su situación no se puede describir con palabras. Así se ha llegado a entender que la violencia no es universal, se aprende. Tu corazón y tu cerebro guardan esta información.

Rollin McCraty, director del Instituto de Investigación HeartMath dijo: "Considera el increíble corazón humano, este órgano que bombea a lo largo de nuestros cuerpos en un horario preciso, sangre oxigenada, rica en nutrientes. Ahora los investigadores están aprendiendo que esta maravillosa máquina, del tamaño de un puño y que pesa un promedio menos de 10 onzas, también posee un nivel de inteligencia que solo se esta comenzando a entender. La evidencia muestra que el corazón también juega un papel más importante en nuestros procesos mentales, emocionales y físicos del que se pensaba". Él agrega que "el corazón es un órgano sensorial y actúa como una codificación de información sofisticada y centro de procesamiento que le permite aprender, recordar y tomar decisiones funcionales independientes".

Mi pregunta es: ¿sobre la base de qué programación el corazón actúa como un codificador de información? Realmente es nuestro niño interior el que está mandando esta información, ya que las memorias primarias se quedan guardadas en la amígdala que forma parte del llamado cerebro profundo, ese donde predominan las emociones básicas tales como la rabia o el miedo, también el instinto de supervivencia. Esta se encuentra en la profundidad de los lóbulos temporales, formando parte del sistema límbico y procesando todo lo relativo a nuestras reacciones emocionales. Ella es la responsable de que podamos escapar de situaciones de riesgo o peligro, pero ella también es la que nos obliga a recordar nuestros traumas infantiles y todo aquello que nos ha hecho sufrir en algún momento.

El físico Gabor Maté expresa que hay estudios que muestran que los niños adoptados desde el nacimiento, aun cuando sus padres no les han mencionado que son adoptados y les han dado una crianza de mucho amor, al ser jóvenes mostrarán en su comportamiento sentimientos de abandono y rechazo. Las memorias que el niño experimentó, quedan guardadas en la mente subconsciente y estas, tienen que salir en forma de mal carácter, problemas sociales, baja autoestima, enfermedad, problemas con el dinero, problemas de pareja.

El mismo doctor Gabor menciona que el tocar a los bebés es de suprema importancia para el desarrollo del cerebro y muchos de nosotros fuimos dejados en las cunas, llorando, ya que nuestros padres pensaban que malcriarían a sus niños si los levantaban. Es lo opuesto a lo que se debe hacer con los niños. Todas estas memorias de abandono y rechazo son recolectadas y guardadas en lo que se le llama la 'Memoria Implícita' o cuerpo emocional.

LA VIDA SE RIGE POR LEYES Y PRINCIPIOS

En el universo no existe el favoritismo. La vida no es cuestión de predestinación o mala suerte. La clave del éxito de cada ser humano reside en su propio pensamiento, el cual opera por una ley inalterable: la Ley de Causa y Efecto.

El pensamiento da origen al sentimiento, el sentimiento crea nuestras emociones y nuestras emociones, moldean nuestra realidad. La Ley de Causa y Efecto siempre, trabaja, no tiene favoritismo. Cuando un niño ha sido programado negativamente, se convertirá en un adulto con problemas en ciertas áreas de su vida y por esta ley, la vida que crearemos desde esas programaciones serán muchas veces experiencias de dolor, pobreza, baja autoestima o relaciones traumáticas. Todo es manejado desde y por la mente subconsciente o tu niño interior.

A raíz de las regresiones a la niñez que tuve con Juan de Dios, me di a la tarea de estudiar la mente. Mi esposo me inscribió en un Club de libros y me enviaban uno cada mes. Empecé a estudiar libros de psicología, meditación, superación personal y diferentes caminos espirituales. Incluso mi oración era "Divina presencia envíame los libros que necesito leer para acceder al conocimiento que existe, pero que yo no tengo ni idea de que existe".

Wayne Dyer y Deepak Chopra fueron uno de los autores que aparecieron primeramente en mi vida. Leía sus libros todo el tiempo. Esto me ayudó a como adulta a ir despertando y la explicación que leía en estos libros sobre principios claros sobre cómo trabaja la mente, me iban dando las técnicas necesarias para liberarla acumulación de dolor guardada. Aun con todo este estudio, mi niña interior, no tenía prioridad en mi vida. Fue años más tarde, que empecé a ser el 'buen samaritano de mi niña interior' y comencé a sanar mis heridas.

Uno a uno los libros se dejaron ver. Muchas veces saltaban de los estantes de una librería, otros llegaban por medio de una persona, otros me encontraban de maneras milagrosas. Yo estaba con tanta sed de conocimiento que leía hasta el cansancio. Uno de los libros que me abrió los ojos de una manera profunda fue *Principios Básicos de la Ciencia de la Mente*, de Frederik Bailes. Este libro me dio muchas bases para utilizar el poder para sanarme y sanar a mis hijos físicamente. A raíz de este libro y de aplicar sus enseñanzas he logrado no concurrir a doctores desde hace 24 años y logré también no llevar a mis hijos a pediatras. Esta es mi historia personal y no estoy aconsejando que no visites los doctores o sugiriendo que ellos no saben.

A raíz de tanto estudio, poco a poco fui entendiendo y dándome cuenta de que alguien en mí que no era 'yo' tomaba decisiones automáticamente y no me dejaba actuar de la manera que conscientemente yo deseaba. Mi más ardiente deseo era ser una buena madre, una buena esposa, una buena hija y, sin embargo, sentía que estaba fallando en cada área de mi vida.

Paso a paso y con mucha paciencia, seguí leyendo, deseando encontrar una píldora mágica que sanara mi locura. Pero tenía que pasar por muchas caídas y levantadas, estudio y aplicación antes de entender completamente que el caminar apenas había comenzado pero que no estaba sola y que era mi niña interior la que necesitaba de todo mi amor.

CAPÍTULO 3

Mi niña Interior a sus siete años

Al entrar a mis siete años las cosas fueron mejorando. El movernos a nuestra propia casa fue el comienzo de una mejor vida. Mi vecina tenía una hija que asistía a la misma escuela de monjas que yo y tenía la misma edad. Como era una colonia, vivíamos en el pasaje Los Laureles, una callecita donde no pasaban carros, eso nos permitía jugar en la calle. Algo que con mi abuela no podíamos hacer ya que era una avenida y con los prostíbulos por todos lados no era seguro que los niños estuvieran en la calle.

Mis padres tenían que ir al mercado todo los días, eso significaba que nos teníamos que levantar temprano y caminar junto a mi madre a la escuela, la hora de entrada era a las 7:30 am y teníamos que estar en punto, sino te ponían en el patio, por media hora, al rayo del sol. Este viaje a la escuela tardaba unos 30 minutos de caminata, la mayoría de las calles eran de tierra, llevábamos un trapo para limpiar los zapatos, ya que en la escuela de monjas hay reglas estrictas sobre los zapatos, tienen que estar limpios.

A las 12:30, al finalizar la escuela, el próximo paso era ir caminando hacia el mercado, para ayudar a mi madre en el negocio de venta de comida. Después de trabajar, lavando trastos y limpiando, salíamos a las 4 de la tarde, caminábamos de regreso a la casa, hacíamos las tareas y jugábamos un rato. La rutina era la misma al día siguiente.

Me encantaba la escuela, era un lugar limpio, con excelentes maestras. Pero por hablar mucho, siempre estaba en problemas o en la lista negra. Lo que me producía angustia ya que había aceptado que 'era malcriada y preguntona'. Ahora que doy conferencias y soy asesora, me doy cuenta de que era uno de mis dones, pero que molestaba a las maestras porque no quedaba callada y ellas no podían dirigir esta energía por la falta de conocimiento en el tema.

Ya a la edad de siete años, el niño muestra lo que ha aceptado en sus primeros cinco años de su vida. Si el niño aceptó que 'no se merece nada', por su creencia, empezará a atraer maestros, compañeros que reforzarán este pensamiento. Por ejemplo, si una mamá lleva un pastel a la escuela para celebrarle el cumpleaños a su niño y cuando toca el turno, para recibir tu parte del pastel, ya no hay pastel, el niño que tiene este tipo de programaciones dirá "no me merezco' asumirá que eso es lo que pasó. Un niño que no tiene esta creencia sobre sí mismo dirá 'se acabó" y no lo tomará de manera personal.

Bruce Lipton, un biólogo muy reconocido por sus estudios y aplicación de lo aprendido a su vida explicó que la ciencia muestra cómo el cerebro recibe las órdenes, por medio de nuestros pensamientos y sentimientos, pero que estos están influídos en un 95% por el subconsciente, que está regido por todas esas programaciones aceptadas al ir creciendo. Luego, el ser humano solamente actúa conscientemente en un 5%. Aquí es donde están nuestros deseos de adultos: perder de peso, encontrar una pareja, ser mejor madre, ser mejor alumna, escribir un libro, ser buena hija. Pero que al final, no se logran y el ciclo de frustración se hace más presente cada vez.

Sin darnos cuenta, el niño interior toma control y es por esa razón que muchas veces nos preguntamos "¿Por qué dije eso, si realmente no era mi intención decirlo? ¿Por qué lo volví a hacer, si ya me había prometido no hacerlo?" Aquí se agrupan todas esas personas que prometen "no volverlo a hacer". Muchas de ellas se hicieron adictas al alcohol, las drogas, el sexo o la comida. Se arriesgan con esta clase de experiencias a perder su familia, negocios, trabajo.

La razón es que, sin darnos cuenta, todas las programaciones que aceptamos en nuestra niñez, son las que gobiernan las decisiones importantes en nuestra vida. Algunos afirman que el niño interior herido se une a tu ego o a tu 'sombra' y es así que vemos, cómo pastores, dirigentes de iglesias, personas del gobierno, maestros de escuelas que condenan la homosexualidad, la infidelidad, el abuso de niños, se ven expuestos en las noticias, porque los encontraron haciendo aquello mismo que estaban condenando.

Sin saber, repetimos ciclos hasta que ya, cansados de estar cansados sanamos aquellas heridas emocionales que quedaron abiertas. La neurociencia muestra cómo el cerebro de un niño de 0 a 6 años no ha desarrollado la consciencia, que se aloja en la parte frontal del cerebro y la frecuencia que se maneja en esos primeros años en el cerebro es llamada Theta, o sea un estado hipnótico. Lo que significa que todo se queda grabado en el subconsciente sin que el niño pueda hacer nada por evitarlo.

Un niño tan pequeño no puede asimilar o entender ya que su cerebro no tiene la capacidad de la consciencia y que se termina de desarrollar entre los 5 a 6 años. El niño, al no entender su realidad de dolor, simplemente guarda todas estas memorias, olvidando lo sucedido.

Ahora la física cuántica nos muestra que el pensamiento es energía y sabemos por la física que la energía no puede ser destruida, solo transformada. Esto que vivimos en la niñez no se destruye, se guarda y eventualmente tiene que salir. Se nos ha enseñado a crecer y volvernos adultos responsables y muchos pensamos que lo hemos logrado. Adoptamos posiciones de poder, hay ejecutivos, políticos, actores, cantantes, doctores, personas religiosas que dan todo tipo de respuestas y llevan a cabo grandes empresas. Pero cuando se llega a su vida vemos niños traumatizados, tiranos, controladores, abusadores, adictos al sexo, comida, drogas, que pretenden que tienen su vida controlada, pero están quebrados por dentro y al no saber, por tanto dolor, infringen y proyectan en otros su dolor, causando traumas en los seres que dicen amar. El caso más extremo y paradigmático es el de Hitler. Su infancia fue dolorosa, transcurrió en medio del autoritarismo y dureza de su padre Alois, un agente de aduanas exitoso pero cruel y violento. Su dolor y trauma por lo que vivió de niño lo llevó a matar a miles de judíos. Solo recordar todo el daño indescriptible que este hombre creó desde su niño interior herido, no tiene respuesta.

Mi madre tuvo una niñez muy dura. Mi abuelo, cuando mi abuela quedó embarazada, le dijo que no era suyo y la humilló varias veces. Al nacer la niña, su padre, la negó y no le dio cariño. Más tarde mi abuelo se dio cuenta de que mi madre tenía muchas similitudes con él, como lunares, gestos, y partes del cuerpo. En la familia de mi madre fueron 8 hijos, criados en una pobreza extrema. Mi abuelo era un tirano, les pegaba, los intimidaba y mi abuela no se metía por miedo. Mis abuelos no tuvieron la oportunidad de ir a la escuela ya que sus padres no creían en la educación secular. Pero mi abuelo era muy inteligente y aprendió a leer y escribir de manera autodidacta. Luego les enseñó a sus hijos con violencia, dureza y crueldad cuando no entendían lo que él explicaba.

Mi madre, la quinta hija, absorbió la dureza de mi abuelo. Esto se reflejó cuando se casó y tuvo cuatro hijos. Después fuimos cinco ya que adoptó a una niña de 10 años que vivía en el vecindario, una amiguita nuestra. Su madre tuvo que moverse a un lugar donde no había luz ni agua. Al ver esta situación, le rogamos a nuestra madre que la niña pudiera vivir con nosotros. Mi madre aceptó por nuestros ruegos y por la situación de la niña. Habló con la madre así acordaron que la niña viviera con nosotros. Cuando yo tenía 9 años, ella pasó a ser nuestra quinta hermana. Hasta el día de hoy la considero mi hermana querida.

Patrones de conducta creados para sobrevivir

Para seguir viviendo en un mundo que no tiene sentido, los niños crean patrones de conducta para, de alguna manera, cubrir y sobrevivir el dolor en el que viven. Es por eso que muchos niños se ríen todo el tiempo, aun cuando les están castigando o humillando.

Muchos les llaman a estos niños payasos, incluso por sus propios padres o personas que les están criando. Otros empiezan a mentir constantemente, se les olvidan las cosas fácilmente, roban, se vuelven niños enfermos, tiranos. Los que tienen mayores problemas son los que se vuelven sumisos. Estos están más expuestos a predadores sexuales, personas tiranas e incluso, son los que los maestros en las escuelas, se aprovechan para regañar y maltratar más.

Gracias por acompañarme!!

Mercedes ♡

CAPÍTULO 4

Pérdida de la memoria y tu niño interior

Una de las cosas que pasaron entre los 5 y los 10 años fue que utilicé un 'mecanismo de defensa'. Empecé a olvidar ciertas situaciones. De un año para el otro muchas veces no recordaba quiénes habían sido mis compañeras de escuela, o nunca guardaba rencor, ya que se me olvidaba qué era lo que me habían hecho, entonces, me decía que yo perdonaba fácilmente.Si el adulto no está consciente de ello, empieza todo el tiempo a decir "Se me olvidan las cosas", "estoy perdiendo la memoria". No se dan cuenta de que esto ya les pasaba en su niñez. Sin saber, siguen reprogramando el subconsciente y eventualmente estas personas sufren de demencia o Alzheimer. El subconsciente no cuestiona, simplemente es programado por el consciente. Pero ¿Quién está programando el subconsciente? TU NIÑO INTERIOR HERIDO.

Sin saber yo había aceptado que "me iba a volver loca", ya que mi abuela paterna con la que vivimos, cuando yo tenía 9 años, perdió la razón y se volvió como una niña buscando a su madre. Mi padre siguiendo el ciclo de su madre, perdió la razón también.

Mediante la restauración de mi niña interior, me di cuenta de lo que había aceptado y por el Poder de la Intención, cancelé esta orden que le había dado a mi subconsciente.

El niño, al no entender su entorno, piensa que "él o ella es culpable o responsable de la ignorancia con que está siendo criado o criada". El niño comienza a sentir enojo interno y al no poder expresar lo que siente, su baja estima personal llega a niveles tan drásticos que muchos jóvenes desean quitarse la vida o huir.

En mi caso, recuerdo haber insultado mentalmente a mi madre y sentir rabia por los castigos infundados que se nos daban. Llegué a no llorar más cuando me castigaban, me paraba firme y me prometía mentalmente no llorar, repitiendo: "péguenme, pero no voy a llorar". Era mi manera de castigar a mi madre, que no me viera llorar, luego me iba a mi cuarto o seguir haciendo lo que se me pedía hacer. Pero con una actitud de tristeza y desesperanza.

Esta conducta de "no sentir" hace que bloquees también el gozo, es como poner anestesia en el corazón. Por eso es que muchas personas mayores caminan con una joroba en su espalda, ya que desde pequeños empezaron a cerrar su corazón y van cargando su dolor a cuestas.

Mi padre, por el contrario, era un hombre más tranquilo, no le gustaba castigarnos mucho, pero mi madre le exigía que lo hiciera. El había sufrido tantos golpes por su madre, que no quería hacer lo mismo con nosotros, pero no sabía cómo parar el ciclo. Él fue un niño 'obediente' y tuvo que seguir el ciclo, casándose con mi madre que siempre lo vio como alguien que no proveía y lo castigaba emocionalmente. Él, por la culpa que sentía desde niño "por no hacer bien las cosas", perpetuó el ciclo de: "no soy suficiente"; "no me merezco": "castígame".

CAPÍTULO 5

Bendecir O Maldecir Y Tu Niño Interior

Las creencias que tienen los padres sobre cómo criar a sus hijos, suma más conflicto, ya que miles de padres nunca se preguntan ¿por qué siempre pienso que se van a enfermar o pienso en enfermedades? ¿Por qué me preocupo y pienso que solo lo peor va a pasar? ¿Por qué estoy haciendo esto con mis hijos? ¿Por qué reacciono de esta manera, aun cuando no quiero hacerlo? ¿Por qué digo NO todo el tiempo? ¿Por qué me mantengo enojada, frustrada o enferma?

Sin saber, lo que hacen la mayoría de los padres es pasar las mismas cadenas que ellos recibieron de sus padres; a través de la soledad, abandono, abuso verbal y físico, desconsideraciones. Crían hijos programados, para luego echarles la culpa cuando estos están en problemas. Sin darse cuenta, estos padres, por la manera inconsciente y pensando todo el tiempo en problemas, renegando, maldiciendo, utilizan el Poder de Creación de la mente para crear lo peor.

Siempre están pensando que les va a pasar algo malo a sus hijos. Cuando los hijos no obedecen, en su desesperación, piensan o verbalizan que irán a parar a la cárcel e inconscientemente envían a sus hijos a la cárcel o se imaginan que van a tener accidentes y por ese PODER MENTAL QUE EJERCEN DE PADRES, crean estos eventos en lo físico para luego seguir el ciclo de dolor.

Una clienta vino a verme ya que su vida era un martirio en todos los aspectos. Cuando fuimos a ver a su niña interior, ella era la única mujer entre cuatro hermanos varones y recuerda que una noche, cuando ella tenía 8 años, escuchó cómo su madre le gritaba a su padre: "Tu hija va a ser maldita por lo que tú me haces a mi". Y luego su madre se volvió dura con ella, por la infidelidad de su padre. Este evento estaba muy guardado en su subconsciente, olvidado. Pero, silenciosamente, esa niña aceptaba que le sucedieran cosas negativas en su vida, por esta maldición arrojada por su progenitora a sus 8 años de edad. De una manera muy amorosa, soltamos esa 'maldición de su madre", bendijimos con amor y le dijimos que "no fue su culpa, y que la reacción de su madre no tenía nada que ver con ella" Me ha comentado que desde ese día, ha estado hablando con su niña y le está enseñando todo lo que ella ha aprendido como adulta. Siente mucha paz y esta viendo resultados positivos en su vida.

Vemos también jovencitos buscando el afecto paterno o materno, buscando en su pareja eso que sus padres no pudieron darles, se vuelven sexualmente activos. Estos al no poder darles ese afecto que necesitaban de niños, los abandonan, algunos les abusan y luego ellos queriendo calmar su dolor se vuelven a las drogas o alcohol. Y el ciclo se repite.

La mente tiene el poder de crear salud o enfermedad, como puede crear felicidad, puede crear tristeza, riqueza o pobreza. Sin reconocer este poder que cada ser humano posee, lo que logramos es ir pasado inconscientemente de generación tras generación los mismos patrones. No vamos a negar el hecho de que hubo cosas hermosas que viviste al ir creciendo y que todo te ha ayudado a ser el ser humano quien eres hoy. Pero "No se puede realmente sanar sino pasas por el dolor, entenderlo, sanarlo y luego soltarlo".

El entender lo que te pasó en tu niñez, le da la oportunidad a tu niño interior a tener una voz, y que sepa que lo que pasó no fue su culpa, no fue su responsabilidad. Aprendes a amar esa parte en ti y no la niegas causando más progreso en todas las áreas de tu vida.

CAPÍTULO 6

No fue tu culpa, nunca lo fue

> *"Cuando yo era niño, hablaba como niño, pensaba como niño, juzgaba como niño; mas cuando ya fui hombre, dejé lo que era de niño. Ahora vemos por espejo, oscuramente".* 1 Corintios 13: 11
>
> *"La culpa representa la muerte igual que el amor representa a la vida. La culpa es parte del yo más pequeño y subyace a nuestra voluntad de creer en cosas negativas sobre nosotros mismos".* Dr. David Hawkins

Entonces ¿Qué es eso que me hace sentir siempre culpa, si no he hecho nada de lo que me pueda sentir culpable? ¡Vamos a explorar!

Hacía varios sábados y domingos que mi madre no quería llevarnos a todos al mercado ya que cuidar cuatro niños en el ambiente del mercado, por ser tan pequeños, era más trabajo para mi madre, del trabajo que pudiéramos ofrecer en el negocio. Lo más conveniente era dejarnos encerrados en la casa. Yo era la segunda de cuatro hermanos, así que tenía alrededor de 7 o 9 años cuando esto sucedió. Mi madre nos asignaba tareas como, barrer, trapear, lavar trastos, lavar calcetines o ropa interior. Por ser niños, eso era lo que menos queríamos realizar primero y utilizábamos el tiempo para encontrar travesuras que realizar. En ese tiempo no había televisión o teléfono en la casa. San Miguel es una zona muy caliente y dormía bastante, recuerdo algunas veces me dormía y quería despertar, pero no podía porque mi cuerpo flotaba. Es algo tan vago que recuerdo, es como si esa parte de mi cerebro se hubiera borrado.

Como todo niño creativo nos vino la curiosidad sobre cómo lograr escaparnos por donde pudiéramos. Subimos paredes, nos subimos al techo, pero llego el día en el que pudimos abrir la puerta del frente, andar en la calle y luego, cuando sabíamos que iban a regresar del mercado, cerrábamos la puerta como si nada hubiera pasado. Por ser niños no hacíamos bien el trabajo de la casa y muchas veces se nos olvidaba hacer las tareas encomendadas. Mi madre llegaba cansada, estresada y como siempre, eso era motivo de regaños y correazos.

Un niño no entiende a los adultos y asume que ellos no se equivocan. Mi sentimiento de culpa iba creciendo, primero por no obedecer, pero también porque ocultábamos que habíamos aprendimos cómo salirnos a la calle sin que ellos lo supieran. Llegó el día que descubrieron que nos salíamos, fue muy doloroso el castigo. Aun cuando dejar niños solos está penado por la ley, en mi se programó: "Fue tu culpa".

Mis diez años fueron pasando y recuerdo sentir mucha tristeza, rechazo por mí misma y mucha culpa. La mayoría de los niños a esta edad empiezan a crear sus propias creencias sobre el dinero, las relaciones, la salud, sienten desprecio por sí mismos, y es aquí cuando muchos han tomado la decisión de salir adelante, pero lo hacen desde el dolor y el miedo. Luego logran grandes cosas en la vida pero su vida emocional se ve afectada y lo podemos ver como grandes cantantes terminan quitándose la vida: Whitney Houston, Michael Jackson, Elvis Presley, para mencionar unos pocos.

Esta fue una época en la que mi madre le ayudaba a jóvenes de menos recursos que nosotros a vivir en la casa para que ayudaran en el mercado. Por no tener suficiente espacio para dormir, asignaban ya sea a mí o a mi hermana a dormir en la misma cama. Fue aquí donde esta joven tocaba mi cuerpo en la noche.

Recuerdo que me quedaba quieta pero que mi cuerpo empezó a tener sensaciones y eso lo guardé muy en secreto, pensando que había sido mi culpa por haber sentido 'eso' que no sabía qué era. Más culpa se fue acumulando en mi subconsciente.

Pero ¿Qué es la culpa? Muchos autores coinciden en definir la culpa como un afecto doloroso que surge de la creencia o sensación de haber traspasado las normas éticas personales o sociales especialmente si se ha perjudicado a alguien. El niño no entiende que no es su culpa cuando contesta grosero o hace cosas 'indebidas'. Ya que su dolor es tan grande que simplemente refleja lo que los padres o quienes le cuidan, les han enseñado o mostrado a través de el ejemplo. Entonces la culpa es nada mas que pura inconsciencia e ignorancia. Es un ciclo del que cuesta salir, ya que viene de generación en generación y no podemos quedarnos en el culpar a nuestros padres o quienes nos cuidaron, ya

que ellos venía programados igual o peor.
Es como decir ¿Qué fue primero la gallina o
el huevo?

Por mi experiencia me he dado cuenta que
especialmente los niños o sea tu hiciste
lo mismo en la niñez, confundiste la culpa
con la vergüenza, haciendo que lo ocurrido
aumentara tu dolor y malestar emocional,
ya que la vergüenza y la culpa crean una
condición perfecta para la auto-destrucción.
Y es aquí donde comienza la depresión y
una gama de problemas emocionales para
muchos.

Entretanto que la culpa aparece ante el
supuesto dolor por el daño causado, la
vergüenza se experimenta cuando aceptamos
con el poco conocimiento que hemos adquirido
en la edad temprana, que fue nuestra la culpa
de no haber desarrollado una habilidad o
capacidad que se presumía deberíamos tener
ya a esa edad. Un ejemplo claro es cuando el
niño derrama la leche o el jugo, y sus padres
exageran este evento haciéndole creer al niño
que es torpe. Cuando el niño apenas esta
empezando a usar sus habilidades motoras y
cometerá errores hasta aprender.

En su libro "Dejar Ir, el Camino de la Entrega", el Dr. David Hawkins habla sobre la culpa de esta manera. "Una forma particular de miedo es lo que llamamos culpa. La culpa está siempre asociada a una sensación de injusticia y castigo potencial, ya sea real o una fantasía. Si el castigo no se recibe en el mundo exterior, se expresa como autocastigo a nivel emocional. La culpa acompaña todas las emociones negativas y, así, donde hay miedo, hay culpa. Si piensas en un pensamiento culpable y tienes a alguien para probar su fortaleza muscular, verá que el músculo se debilita al instante. Sus hemisferios cerebrales se ha desincronizado y todos tus meridianos energéticos se han desequilibrado. La naturaleza, por tanto, dice que la culpa es destructiva".

No eres lo que piensas que eres, no eres tu culpa. Al nacer vienes a un mundo que ha sido programado y condicionado por los prejuicios o ignorancia de nuestros antepasados. Desde que naces ya eres la suma de lo que escuchaste desde el vientre. Allí estuviste presente asimilando las conversaciones que hablaban con tanto ahínco tu padres, tus abuelos, etc. Además aceptando las emociones de culpa, miedo, tristeza que experimentaba tu madre.

Naces y empiezan a llenar tu cabeza con frases como "cuidado, te vas a caer", "no", "no contestes, muchachito malcriado", "ponte los zapatos, te vas a resfriar", "si sigues llorando te va a comer el gato" o "te voy a pegar si sigues llorando", "hay gente mala, no confíes en extraños", "no hay dinero, el dinero se acaba", "estudia y gradúate para que valgas y vivas bien, etc. etc. etc.

Creces en medio de un conglomerado de ideas, culpas y como eres un pequeño, donde tu cerebro frontal no ha sido desarrollado para decidir que aceptar o no aceptar, te vuelves alguien quien realmente NO ERES, sino que tu mente esta llena de voces, las cuales piensas que son tuyas, pero fueron las ideas de alguien mas.

Recuerdo una clienta me contaba, que aun a sus 62 años recuerda una frase que le decía su madre, cuando ella ya no quería comer mas, "come todo lo que esta en tu plato, ya que hay niños, muriendo de hambre y tu no agradeces". Ella me decía que hasta este momento, le cuesta no comerse lo que esta en su plato, aun cuando ya esta saciada, ya que siente culpa y esto la ha llevado al sobrepeso y aun cuando sabe que no tiene que hacerlo lo hace. Hablando con ella reconoció, que esa no era una creencia personal, sino impuesta por su madre, que a lo mejor le fue impuesta por su abuela.

El Dr. Hawkins reafirma que "el noventa y nueve por ciento de la culpa no tiene nada que ver con la realidad. De hecho, las personas más piadosas, mansas y sencillas están a menudo llenas de culpa".

Se nos educo a sentir culpa, miedo, ansiedad. La palabra educar viene del latín "ex ducere" que significa "sacar, sacar de adentro" sacar de donde y sacar que? Lo que menos aprendiste cuando entraste a la escuela es que todo el conocimiento que necesitas esta dentro de ti, que si aprendes a estudiar tu Ser, te darás cuenta que todo lo que deseas ya esta, simplemente tienes que preguntar, luego callar, y sacaras del interior todo eso que te favorece, valores, amor, paz, virtudes, la voluntad, el autodominio, generosidad y demás. Que hermoso hubiera sido que nos enseñaran esto en la escuela, pero no, hasta en los centros educativos solo nos llenaron la cabeza de datos e información y culpa. Esto no es suficiente para crecer como un adulto saludable.

El haber aceptado todo esto sin cuestionar ha hecho que muchos pierdan el sabor a la vida. En referencia a la educación a muchos les dijeron "estudia y tendrás un buen trabajo" y ahora vemos las calles llenas de gente estudiada con títulos, pero sin trabajo o con trabajo y con un sentimiento de vacío muy grande. Con esto no se dice que el estudio secular no beneficia, al contrario enriquece, pero el estudio del Ser enaltece.

El Dr. Hawkins con sus palabras tan sabias nos dice el efecto de la culpa y como esta nos hace sentir "La culpa es tan frecuente como el miedo, y nos sentimos culpables sin importar lo que estemos haciendo. Una parte de nuestra mente dice que realmente deberíamos estar haciendo otra cosa. O, lo que en realidad estamos haciendo en este momento, deberíamos estar haciéndolo "mejor". Nosotros "deberíamos" estar obteniendo una mejor puntuación en el golf. Nosotros "deberíamos" estar leyendo un libro en lugar de ver la televisión. Nosotros "deberíamos" hacer mejor el amor. Cocinar mejor. Correr más rápido. Crecer más alto. Ser más fuertes. Ser más inteligentes. Ser más educados. Entre el miedo a la vida y el miedo a la muerte está la culpa del momento. Tratamos de escapar de la culpa permaneciendo inconscientes a ella mediante la supresión, la represión, proyectándola en los demás, y escapando".

La humanidad esta despertando y muchos se sienten cansados de las mismas creencias y ahora se hacen preguntas diferentes, esto se deja escuchar cada vez mas en los jóvenes que cuestionan ¿de que me va a servir esta información? ¿para que tengo que estudiar esto?, etc. Una nueva consciencia esta naciendo y cada día mas y mas la gente esta llegando a entender que Somos seres con poderes ilimitados, que tenemos la capacidad de crear situaciones favorables, con solo cambiar nuestros pensamientos, soltar la culpa, estos procesos cambian nuestra actitud, cambia nuestras acciones y al seguir aplicando este concepto, cambiamos la dirección de nuestras vidas y el sentimiento de culpa va desvaneciendo.

Es por eso que tenemos que observar la culpa, ya que esta siempre esta presente y si no nos volvemos conscientes, este sentimiento gobernara nuestra realidad y no podremos experimentar la paz que nos pertenece como seres divinos.

Hoy existen muchas técnicas y libros que nos ayudan a entender la culpa. Ya no hay excusa para mantener este sentimiento y vivir una vida a medias.

Me encanta como el Dr. Hawkins nos hace reflexionar con estas preguntas ¿Cuál es la verdad acerca de este viaje? La verdad real es que a medida que avancemos hacia el interior y descartemos una ilusión tras otra, una mentira tras otra, un programa negativo tras otro, se vuelven más y más ligeros. La consciencia de la presencia del amor se vuelve más y más fuerte. Nos sentiremos más y más ligeros. La vida se vive con menor esfuerzo. Cada gran maestro desde el principio de los tiempos, ha dicho que hay que observar el interior y encontrar la verdad, porque la verdad de lo que realmente somos nos hará libres".

Yo tuve que hacer ese proceso con mi niña interior, han sido horas y horas, por espacio de muchos años de reprogramar, reafirmando me a mi misma que "Nada de lo que paso, tenía que ver conmigo y no fue mi culpa" y ahora mi niña sabe perfectamente que siempre fue inocente. Este sentimiento ahora me hace una adulta mas presente, con mas claridad para conducir mi vida y por consiguiente con mucha mas paz interior.

Ya es el momento que tomes a tu niño interior en tus brazos y le ayudes a soltar todas esas culpas y vergüenzas acumuladas que ha llevado a sus espaldas a través del tiempo, dejarle saber a ese niño interior tuyo que ya puede descansar. Enseñarle y re-programarle, hasta que acepte que nada de lo que paso fue su culpa y restaurarle su inocencia perdida con el amor incondicional que tu le darás día con día.

CAPÍTULO 7

Tu niño interior y el dinero

> *"Tu niño interior tiene el poder de generar pobreza, riqueza. Aborrecer o amar el dinero. Sentir culpa por tenerlo. O tenerlo y no poder disfrutarlo". Mercedes Guzmán*

¿Quisieras ganar más dinero, pero tienes miedo porque crees que no te lo mereces?

¿No perseveras en tus esfuerzos o los boicoteas?

¿El dinero no te rinde?

¿Estás endeudado? ¿Todo lo que inicias se cae, se retrasa, te roban, te defraudan?

¿Tienes dinero, pero sientes rechazo o ignoras su poder?

¿Decides gastar el dinero en cosas y llenar ese vacío que sientes cuando estás nervioso o te sientes solo?

Todas estas características son claro ejemplo de que debes SANAR TU NIÑO INTERIOR.

Vale mencionar que no importa si tu familia tuvo dinero o no. La relación que tendrás con esta energía hermosa, se verá afectada o bendecida por la manera como tus padres administraron sus bienes, negocios y el dinero en general.

No podemos cegarnos y pensar que nuestro niño interior no tiene nada que ver en cómo estamos administrando el dinero en el presente. Puede ser también que tu relación con el dinero sea de odio-amor, desprecio, maldición o simplemente ignorarle.

Mi relación con el dinero al ir creciendo era "no hay dinero". No importaba qué tanto veía trabajar a mis padres, su frustración y pleitos por la falta de dinero era evidente. Desde pequeña aprendí que había ricos y pobres y que nosotros éramos pobres. Pude ver esta diferencia al estar desde kindergarten, en un colegio de monjas, uno de los mejores en mi ciudad San Miguel, donde las monjas nos aceptaron por ser de bajos recursos.

En esta escuela fui expuesta a este mundo donde mis compañeras hablaban de lo que Santa Claus, les había traído y a mí, nada. Los niños no entienden de finanzas, simplemente sienten que algo tiene que estar mal con ellos mismos para no recibir lo que otros niños tienen. Este era realmente un mundo al cual no pertenecía y no entendía.

Lo interesante era que, en el mercado, mi madre vendía comida, refrescos y el dinero se mantenía en algo que se ponían las mujeres alrededor de la cintura, llamado delantal. Yo me ponía uno y mientas íbamos vendiendo yo colectaba el dinero. Al final de la jornada, se contaba el dinero y yo veía cuánto dinero salía del delantal, para luego escuchar a mi madre que decía: "Hoy estuvieron mal las ventas, no hay dinero para esto o aquello". Sin saberlo, mi madre utilizaba la Ley de Causa y Efecto, creando la noción de que el dinero no alcanzaría.

Estas frases se fueron grabando en mi mente y cuando crecí, aunque mi esposo ganaba un buen sueldo, mi mente estaba programada a decir "No hay dinero, no alcanza para nada". Me tomó años soltar esta programación y me perdí de tener cosas hermosas y ahorrar, por no entender lo que había aceptado en mi niñez.

Otra cosa que me programó dolorosa y profundamente fue que mi padre, por el incidente que ya he relatado, en el que la guardia de mi país lo torturó, por un delito que él no había cometido. Empezó a mostrar síntomas de esquizofrenia y uno de los síntomas es que la persona que padece de esquizofrenia es que no puede administrar el dinero y mi padre siempre estaba prestando dinero a usureros o personas que cobraban un alto porcentaje por el dinero prestado.

Muchas veces se atrasaba y no cumplía lo que decía y mi madre tenía que pagar sus deudas. Era doloroso ver cómo él hacía lo que fuera necesario: vendía billetes de lotería en las calles, compraba y vendía frijoles y luego cuando ya no pudo, vino a ayudarle a mi madre en el puesto del mercado, haciendo comida junto a ella. Aquí es cuando vimos más pleitos entre ellos.

En mi práctica de *coach* uno a uno, he encontrado interesante la dinámica que manejamos en relación al dinero, no importa si fuiste pobre o rico al crecer.

A continuación, comparto una de ellas (Los nombres de las personas han sido cambiados por su seguridad. Y los resultados se deben al compromiso y la dedicación que la persona ha mostrado en el proceso de conectarse con su niño interior.)

Lorena, una mujer de 60 años muy exitosa, con varios negocios bien establecidos y de mucha prosperidad, con una vida que muchos podrían decir "qué suerte la que tiene" vino a verme y me dijo "Mercedes, quiero saber por qué, aun cuando puedo tener todas las vacaciones que quiera, me siento culpable de hacerlo y mejor envío a mis hijos a Roma, Paris, con todo pagado, pero si es para mí, me cuesta hacerlo y realmente no entiendo la razón".

Cuando fuimos a su niñez, pudo recordar que su padre al cual ella amaba y admiraba mucho un hombre con un negocio de éxito y muy respetado en el pueblo, compró un televisor para el negocio y uno para la casa, algo que la mayoría de las personas en el pueblo donde ellos vivían, no podían darse ese lujo. Lo que notó en esta regresión a la niñez fue que su papá llegaba a la casa siempre cargando cosas para comer, trayendo lo mejor y más rico a la casa, pero luego repetía y se quejaba todas la veces que podía: "¡Cuánto trabajo y no tengo tiempo de descansar, siempre trabajo y trabajo y no queda espacio para unas vacaciones!"

Lorena, una niña que disfrutaba lo que su papá traía para ellos, pero luego escuchaba a su padre repetir esto la mayoría del tiempo, cuando creció, llegó a ser exitosa como su padre y más, pero a la niña interna le quedo la programación de "no hay tiempo para unas vacaciones ya que hay que trabajar y trabajar". Ella logró hablar con su niña interna y le explicó que papá, no entendía que podía hacerlo, pero que escogía quejarse y ella como no entendía, había aceptado lo mismo, pero que ahora ella le iba a enseñar a su niña interna que ella tenía el derecho y la libertad de disfrutar todo el trabajo que había logrado con su inteligencia. Fue un proceso que le tomó un tiempo en ser constante en reprogramar su subconsciente y, finalmente, experimentar las vacaciones merecidas pero sin culpa y sabiendo que todo iba a estar bien a su regreso.

Aún en las cosas que a veces pensamos que no tienen una explicación, si le das permiso de que tu niño interior te hable, entenderás que la vida que llevas es una vida prestada y no tiene nada que ver contigo sino son solo un reflejo de las programaciones que escuchaste de tus padres, las cuales no estaban fundadas, sino que muchas veces venían de sus propios padres y ellos nunca se dieron cuenta.

Camila es una joven emprendedora y llena de vida. Puso su propio negocio después de estudiar e invertir dinero en su carrera de Administración de Empresas. La razón por la que vino a verme fue que, no importaba que técnicas utilizara para atraer clientes, su éxito era mínimo y no podía lograr sus sueños, como comprarse su propio carro nuevo. Al ir a su niñez, nos dimos cuenta de que su padre, un hombre muy adinerado, miembro del mejor club de su ciudad, era un déspota. Ella creció con mucho miedo a su alrededor y aunque había abundancia, su niña interior había aceptado que "es mejor no tener dinero, ya que te volverás déspota con la gente". Hablamos con su niña interior, le hicimos ver que papá había sufrido mucho cuando él era un niño porque había crecido sin dinero y que por esa falta, había creado un imagen falsa de sí mismo y se había vuelto un hombre sin consciencia, pero que eso no tenía nada que ver con ella y el dinero. Este paradigma olvidado, sin que ella se diera cuenta, estaba bloqueando su carrera en el presente. Hace unos meses volvió a verme y me contó con mucho gozo que su clientela había aumentado en un 80% y que ya había recibido su primer pago de $10. 000.00. dólares

Maritza, una mujer muy dedicada de una gran inteligencia que la llevó a abrir en una calle principal de su ciudad una joyería por muchos años con mucho éxito, para luego perderlo todo por la cantidad de asaltos que padeció. Su única salida fue la de cerrar la joyería. Era una mujer adulta que se sentía perdida, ya que no entendía qué más podía hacer para salir adelante, y no quería ser carga para sus hijos. Lo interesante es que esto ya le había pasado con otros negocios y no entendía cómo esto se había repetido.

Cuando vino a verme, se le podía ver el dolor y la falta de fe, pero se dio el permiso de conectarse con su niña interior. Al ir a su niñez, pudo observar cómo su padre, un hombre luchador, invertía y creaba negocios para luego perderlo todo, ya sea por socios que le robaban o porque el negocio no daba para más. Lo interesante que notó fue que alrededor de la misma edad que ella tenía en el presente, su padre tuvo la última racha de mala suerte, donde ladrones le dejaron sin nada en su negocio. Finalmente él se decepcionó de la vida y no quiso seguir más, desarrolló una amnesia y se dejó morir. Cuando ella vino a verme su padre había fallecido hacía diez años, o sea que todo esto estaba en el olvido. En las sucesivas entrevistas descubrió que estaba repitiendo el mismo ciclo que su padre y que si no hablaba con su niña interna, lo que le esperaba era desarrollar algún tipo de enfermedad y morir.

Fue hermoso hablar con su niña interior y explicarle que ella ahora podía crear su propia vida y no tenía que vivir la misma que su papá, que ahora ella podía utilizar toda esta inteligencia y crear la vida que ella quisiera. Maritza sabía que iba a ser todo un proceso, pero estaba confiada de que lo lograría. Sintió mucha gratitud, ya que la presencia de su padre se hizo sentir, como dándole la bendición de seguir adelante y de vivir la vida que le pertenecía vivir.

Roberto era un hombre que durante sus 20 años había logrado tener mucho dinero, viajes, casas, carros. Pero luego, en una inversión, casi pierde hasta su casa. Cuando vino a consultarme estaba muy estresado, lleno de miedos, con mucho coraje pero todo lo cubría con una actitud muy positiva.

Su pregunta era ¿por qué siempre que parecía que conseguía lo que deseaba, algo sucedía, o la persona que estaba lista para invertir en su negocio, a último momento se retiraba? Por qué un cliente que había mostrado tanto interés en su producto, al final terminaba comprando a alguien más o simplemente no le contrataban, cuando todo estaba ya para concretarse?

Al conectarse con su niño interior, Roberto pudo observar y recordar cómo su madre lo había dejado a la edad de 6 años con una tía para ir a los Estados Unidos y proveer mejor para él, con la promesa de mandar el dinero y llevárselo cuando ella pudiera, promesa que cumplió cuando el ya tenía 12 años. También recordó cómo había otros tíos con varios hijos que vivían en la misma casa.

Estos tíos criticaban todo el tiempo lo que él hacía, y él podía ver cómo, por no tener su madre, quienes recibían primero la comida o regalos, o palabras de aliento eran los hijos de sus tíos y él era el último. Observó que ya a los 10 años, como desde muy chico, había recibido correazos de sus tíos corrigiéndole por alguna falta, lo cual le daba tanta tristeza que empezó a sentir que no merecía nada. Su estima personal empezó a decaer y se volvió un niño con dos caras, feliz y popular en la escuela, pero muy negativo en la casa.

Al hablar con su niño interior, pudo decirle que esas personas que no le compraban o aprobaban o le daban el negocio a otros, no eran sus primos o tíos, y que ahora él iba a criarlo de nuevo diciéndole todo lo que él se merecía escuchar y cómo se merecía ser tratado. Mientras trabajaba con su niño interior pronto fue contratado por una compañía muy grande y ahora por su positivismo, y entrenando a su niño interior a ver la vida de diferente manera, sus finanzas están mejorando y su coraje ha desaparecido en un 90%.

Hay que aclarar que el concepto de crear o tener mucho dinero y vivir una vida de abundancia, son dos cosas distintas. Tener dinero y no compartir, solamente ahorrar, es vivir en un vacío que no se puede llenar, ya que si logras un millón, luego vas a querer dos millones. Pero si además de tener dinero, vives una vida de abundancia, ayudando, bendiciendo a los necesitados, creando escuelas, programas para mejorar el ambiente, tu comunidad, tu ciudad, tu vida irá de incremento a incremento. Tu niño interior puede ayudarte con tu creatividad.

CAPÍTULO 8

Tu niño interno y tus relaciones

"Exigimos de nuestro compañero de vida el amor, la atención y el cariño que nuestros padres no pudieron darnos. Eso es injusto para la persona que decide vivir junto a ti. Ama a tu niño interior y permite que se dé cuenta de que tu pareja no es tu padre o tu madre". Mercedes Guzmán

"A menudo, los conflictos que se producen en las relaciones íntimas son tan grandes que terminan con la relación. Y sin embargo, es posible que tu pareja no sea responsable de tu sufrimiento, sino solo alguien que refleja un dolor que lleva dentro de ti muchos años, como si fuera un espejo". Paloma Corredor

"Pero Mercedes - me decía un cliente "¿Que tiene que ver mi niño interior con la clase de mujeres que estoy atrayendo a mi vida? Mi respuesta fue: "Todo, todo Rene". Y allí comenzó su proceso de regreso al Amor a sí mismo, para atraer la pareja que él iba a escoger, no su niño interior herido. ¿De quién aprendiste el significado del amor? ¿Quién te enseñó a ver el amor como un sinónimo de dolor? Te has puesto a pensar por qué tienes ese concepto sobre el hombre y la mujer. ¿Cuantas veces sucedió que mientras mamá y papá discutían agitadamente te abandonaron a ti y a tus hermanos emocionalmente y ahora ese miedo sale a la superficie y no puedes confiar en nadie?

A lo mejor mamá o papá abandonó el hogar, o murió y tú te quedaste pequeño e indefenso, creando este vacío en tu corazón de niño y nadie te explico que pasó. Quizás tomaste en tus hombros la responsabilidad de que la relación entre papá y mamá funcionara y al final no pudiste lograrlo, cuando te avisaron ese día en la sala que habían decidido divorciarse. Pudo suceder que papá abusaba físicamente de mamá frente a tí y tú, por ser pequeño no pudiste hacer nada. O pudo suceder lo contrario, que tu madre abusara de tu padre. ¿Viste a mamá llorar cuando papá no llegaba a la casa y luego te diste cuenta de que papá le había sido infiel a mamá o mamá le fue infiel a papá? Y hoy, en el presente, ¿deseas casarte, pero atraes personas que no te valoran, o personas que no llenan eso que tú esperas de ellos? Ya es tiempo de que te conectes con tu niño interior y hagas que tus relaciones sean sanas, para que tus hijos, y los hijos de tus hijos vivan en armonía y amen a sus parejas, así como a sus hijos.

Yo sabía que mi padre adoraba a mi madre pero veía que mi madre resentía mucho a mi padre y no podía expresarle el amor que ella le tenía. Eso se lo mostraba siempre al estar reclamando, demandando y ahuyentando a mi padre, ya que inconscientemente ella creó un mecanismo de enfermarse. Era en mis ojos de niña una relación amor-odio. Ahora puedo ver la causa de ello, pero cuando era una niña, lo que aprendí fue a estar a favor de mi madre y empezar a ver todas las faltas en mi padre. Aprendí que los hombres son la causa de tus males, no proveen como deberían, los hombres te son infieles, te hacen sufrir y luego te pueden abandonar. Mi madre era muy controladora debido a la crianza que tuvo y no nos permitía hacer muchas cosas. Le teníamos que pedir permiso por todo.

Crecí y mis relaciones más significativas fueron tres. El primer novio duró dos años, me cansé y terminé con él. El segundo me abandonó y se casó con alguien más, después de 4 años de una relación que terminaba y comenzaba. Esto me dolió mucho pero solté el dolor y un año más tarde, conocí a mi esposo y cuando me casé, sin saber puse a mi esposo en la categoría 'madre' y empecé, sin estar consciente de eso, mi entrenamiento para ser víctima. Le pedía permiso para todo. Muchas veces él estaba en reuniones y yo le llamaba y le llamaba hasta que por fin contestaba y yo le decía: "¿Me das permiso para llevar a los niños a Mc Donald's? Algunas veces me decía que no y luego me salía de no sé dónde un sentimiento de dolor y me resentía con él. Esto fue agravando nuestra situación, renegaba de cómo él me trataba, cómo era posible que fuera de esa manera. Pero no podía hablar con nadie sobre él, así que me tragaba todo mi dolor. No quito el hecho de que él actuaba de una manera muy dura conmigo y me trataba muy hiriente muchas veces, pero ahora entiendo que "nadie te puede hacer sentir nada, si tú no se lo permites". Pero mi niña interior no sabía eso, ya que ni idea tenía que era ella, la que estaba gobernando mi relación con mi esposo en ese tiempo específico de tanto dolor. El tiempo fue pasando, tuve mi quinto bebé y es allí donde me di cuenta de que 'ya no amo a mi esposo', pero no puedo irme o divorciarme, porque no trabajo y tengo cinco bebés que debo que cuidar.

Llegué a estar en lo que algunos maestros le llaman "La oscura noche del alma". No tenía gozo, me sentía atrapada, le echaba la culpa a mi esposo, por todo mi dolor, por la falta de dinero, por darle mal ejemplo a mis varones sobre cómo se trata a una mujer y que así ellos iban a tratar a mis hijas. Era un tiempo de sentirme "Pobrecita yo". Fue aquí que mi búsqueda se agudizó y empecé a decir una afirmación que todavía enseño a todos mis clientes: "Dios déjame ver a mi esposo a través de los ojos del amor" y, como este Poder maravilloso siempre escucha, su hermana mayor me llamó un día y me relató lo que mi esposo había vivido cuando era pequeño. Me contó cómo cuando murió su madre y él tenía tres años, su papá por tener que trabajar los dejo con personas que los trataron muy mal y tuvieron que moverse de casa en casa. Esto paso desde que mi esposo tenía 3 años hasta sus 9 añitos, fue en esta época que recibió toda clase de rechazos y burlas. Luego su padre muere en un accidente y nadie quiere hacerse cargo de ellos, ya que eran los 3 niños mas pequeños y finalmente una tía los cría y comienza otra historia de abandono en su vida. Todo esto yo no lo sabía, él no hablaba de ello y así empezó a nacer en mí mucha compasión. Pedí en oración mucha guía celestial para amar nuevamente a mi esposo y en ese proceso se me dice claramente: "Él es con el único hombre que vas a despertar en esta vida, él es el único". Aquí es donde comienza mi restauración y hablo con mi niña interior y le muestro que mi esposo no es mamá. Ha sido un proceso largo, pero ahora puedo decir que quien está con mi esposo es la adulta, mi niña sabe su lugar. Mi deseo más grande era tener una relación Santa y hoy lo es y sé que se pondrá mejor, ya que hay muchos niveles de auto-amor y auto-descubrimiento.

Natalia y Alberto llevaban varios años juntos. Al principio de la relación, todo iba muy bien, vinieron a verme, y por lo que pude sentir se amaban pero a Alberto parecía que no le importaba la relación y prefería irse con sus amigos. Empecé a trabajar con ellos pero en un momento Alberto decidió ya no regresar. Natalia siguió viniendo y llegó el momento en el que se dio cuenta de que él le había sido infiel. Fue un momento muy duro pero tuvieron que separarse. Él pronto se dio cuenta del gran error que había cometido y decidió regresar por él mismo y sanar su niño interior. Esto tomó un tiempo y luego Natalia se reintegró a las sesiones. Alberto fue un joven con una niñez traumática, su padre los abandonó y su madre empezó a salir con varios hombres, él estuvo expuesto a esta vida y no pudo hacer nada. Creció con un resentimiento y una falta de cariño. Era un joven atlético, muy atractivo, empezó a atraer muchas mujeres pero su vida estaba muy vacía. Cuando conoció a Natalia sintió una confirmación celestial de que ella era la mujer con la que viviría el resto de sus días. Ella ni lo conocía pero eventualmente él y ella se encontraron y empezaron su vida juntos. Natalia venía de un matrimonio donde su padre le era infiel a su madre y no la valoraba. Cuando ella tenía 13 años ellos se divorciaron y ella vivía una semana con su mama y otra con su papá, con mucha inestabilidad.

La infidelidad es una herida que sana pero la cicatriz es muy grande. La persona va a tener que aprender a vivir con la duda pero esta no va a sabotear tus relaciones. Alberto y Natalia lograron sanar sus niños interiores. Se acaban de casar y han estado viviendo una vida más placentera ya que ahora son adultos en una relación y no niños buscando a sus padres.

Carolina era una joven muy sonriente que no paraba de reír nerviosamente aun cuando estaba platicando de cosas muy sencillas. Vino a verme porque su relación con su pareja era de mucho abuso verbal y muchas veces llegaba al abuso físico. Ella estaba cansada y no entendía la causa. Aunque ella sabía que tenía que dejarlo algo en su mente se lo impedía.

En su conversación ella me contó que su educación escolar se truncó cuando su padre los abandonó y tuvo que empezar a trabajar para ayudar con los gastos de la casa a la corta edad de 10 años. Su madre, una mujer que no había ido a la escuela, desde muy pequeños les dejaba en la casa de su mamá, o sea su abuela, para irse a trabajar ya que su padre era alcohólico y nunca estaba para ellos. La abuela era una mujer muy cruel, golpeaba incesantemente a los nietos. Carolina, por ser la mayor era la que recibía la mayoría de los golpes de ella y luego de su madre, ya que esta le ponía quejas todo el tiempo.

En su sesión del niño interior, Carolina pudo observar cómo, sin motivo alguno, recibía los golpes de la abuela y un día, a la edad de ocho años, frente a los vecinos, la abuela vino donde ella estaba, la regañó, la humilló y la golpeó. Para disimular el dolor y la vergüenza, en ese momento, le agarró una risa nerviosa, la cual que continuó desde allí cada vez que la castigaban o la humillaban. Carolina había utilizado como mecanismo de defensa, la risa nerviosa, para calmar la ansiedad de lo que le estaba pasando. Esa era la razón por la que ella ya de adulta se reía todo el tiempo pero lo hacía aún más cuando estaba nerviosa. Además, pudo observar cómo su madre le dejaba en claro que la golpeaba porque la quería y no deseaba que se volviera una cualquiera, que anduviera en la calle y le recalcaba que era mejor estar con un hombre, que tener varios maridos. Una historia que le repetía todo el tiempo, cuando ella a lo mejor no había lavado los trastos de la cena por algún olvido o no ayudaba con algo en la casa.

Carolina creció con esa programación y cuando deseaba salirse de esa relación tan dañina con su pareja, todas estas frases de su madre se repetían inconscientemente y no la dejaban dejarlo o reportarlo de una vez por todas, pues pensaba que él la trataba de esa manera por amor. A través de varias sesiones, ella logró hablar con su niña interna, perdonar a su madre y abuela, recuperar su poder de Mujer y no permitir mas ser una víctima. Su proceso comenzó y finalmente pudo dejar a su pareja, ya que no habían tenido hijos todavía, se movió de ciudad, logró conseguir un trabajo mejor y hoy vive una relación mejor.

Silvia es una joven muy bella, ejecutiva, divorciada, con unas cualidades hermosas, inteligente, educada, dulce. Pero con sus relaciones todo resultaba muy traumático. Vino a verme y durante nuestra conversación me comentó que en sus relaciones que había tenido, sus parejas no la valoraban, eran mentirosos, había mucho resentimiento e ira y lo más notable es que siempre atraía hombres que hacían menos dinero que ella. En su corazón ella sabía que quería que la trataran como una princesa porque se lo merecía.

Al irnos a su niñez pudimos observar que sus padres siempre estaban peleando, discutiendo frente a ella. Por su carácter, ella tomó la responsabilidad de que hicieran las paces.

Su padre, un hombre de negocios muy fuerte, trataba a su madre de una manera denigrante. Nunca la valoró, aun por ser la única hija, no iba a la escuela, no la acompañaba a nada y ella hacia todo para agradar a papá y este nunca le hacía sentir que se merecía lo mejor. La madre, por el contrario, se hacia la víctima, pero tenía una actitud pasiva/agresiva. Sin darse cuenta la niña se prometió no casarse con nadie como papá, que disminuía a su mamá, por no tener un trabajo. Cuando creció eso se le olvidó pero lo guardó en su subconsciente y allí estaba la razón por la que atraía hombres que ganaran menos y que no la fueran a ver de menos a ella. La rabia y resentimiento que guardaba hacia su padre hacía que al menor sentimiento de mentira o falta de respeto ella explotara fácilmente y allí comenzaba su dolor. Sus parejas se cansaban y no veían la gran mujer que era ya que ella, sin saber, se escondía bajo una máscara dura cuando por dentro estaba muy sola y con mucho temor. Cuando liberamos a su niña interior y ella entendió todas sus programaciones, inmediatamente atrajo para ella un hombre muy guapo, ingeniero y que hoy la trata como toda una princesa.

CAPÍTULO 9

El niño interior y la orientación Sexual

"Un niño varón de cinco años no sabe qué es el sexo pero a esa corta edad ya sabe que en lugar de gustarle las niñas, siente algo muy bonito que no puede explicar por los niños, el sentimiento es igual con las niñas".
Mercedes Guzmán

Este es un tema que en los últimos años está más difundido pero por muchos años ha sido un tabú. Es por esa razón que le doy un capítulo en mi libro. La orientación sexual ha sido condenada hasta el día de hoy por la religión y los gobiernos de muchos países. Miles han muerto en manos de personas homofóbicas. Este es un rechazo, miedo, repudio, prejuicio o discriminación hacia mujeres u hombres que se reconocen a sí mismos como personas gay.

Recientemente, en Facebook, el fotógrafo Brandon Stanton creador de "Human of New York" publicó una fotografía de un niño de 10 años con gran angustia emocional en la que el niño decía "Soy homosexual y me da miedo mi futuro y que no le agrade a las personas". Él no está solo, miles de homosexuales desearían no serlo. Muchos de ellos se detestan así mismos por sentir lo que sienten.

He tenido la bendición de conocer muchos niños interiores a través de mis clientes gay. Al platicar con ellos, me da tanta ternura y dolor a la vez, saber que a tan temprana edad, ellos sabían quiénes eran pero el rechazo inmediato que empiezan a sentir de sus padres, maestros, religión, amigos de escuela es algo muy fuerte y palpable. Como niños inteligentes, logran evadir el sentimiento y tratan de camuflarlos volviéndose 'como los demás'. Hacen deporte, crean un cuerpo varonil, tienen novia, las niñas ocultan su realidad volviéndose muy obedientes con su madre, que sospecha algo pero niega todo, sobre protegiéndoles, no queriendo admitir una realidad palpable. Algunos jóvenes hasta se vuelven ellos mismos homofobicos.

Quiero aclarar que muchos de estos niños no han sido abusados sexualmente y los niños que sí han sido abusados sexualmente por hombres, o niñas por mujeres, muchos de ellos son heterosexuales y no por eso se vuelven gay por el abuso. El niño que es gay, no se hace, nace. Yo fui una niña abusada por una mujer y recuerdo que desde que tenía 5 años me gustaba un niño en kindergarten y hasta su nombre recuerdo. Tito me agarraba de la mano en el recreo y me llevaba a ver las culebras que algunas maestras usaban para mostrar en la clase. Recuerdo cómo mi corazoncito latía fuertemente y no entendía por qué. Este mismo sentimiento sucede a los niños gay ya que a este punto el niño no entiende nada sobre la sexualidad.

El abuso en los niños heterosexuales deja secuelas de confusión y muchas veces los adultos tendrán fantasías sexuales con personas de su mismo sexo que crean vergüenza y culpa. Muchos de ellos experimentarán relaciones con el mismo sexo pero siempre sentirán que algo no está bien. Al conectarte con tu niño interior, tomar consciencia de los abusos, buscar un profesional en la materia para que te apoye, logras que esta confusión vaya desapareciendo y te vuelves un adulto sexualmente libre de disfrutar esta parte tan necesaria en tu vida.

La revista National Geographic publicó "Los cerebros de los gays comparten características con los de personas hetero del sexo opuesto, según revela un nuevo estudio. Investigadores han encontrado similitudes en la estructura física y tamaño del cerebro, así como en la fortaleza de las conexiones neuronales, entre personas gays y personas heteros de sexo opuesto.

En algunos aspectos, los cerebros de hombres heteros y lesbianas son similares en lo referente a la longitud de las ondas, sugiere la investigación. De la misma manera, los hombres gays y las mujeres hetero tienen cerebros similares. Estos descubrimientos evidencian que los homosexuales podrían tener una predisposición genética para ser gays. Las diferencias entre la actividad cerebral y la anatomía fueron observadas en un estudio que incluía 90 hombres y mujeres, contando con homosexuales y heterosexuales de ambos géneros. Los investigadores vigilaron la actividad neuronal en el cerebro midiendo el flujo de sangre. Las exploraciones se realizaron cuando los voluntarios estaban descansando y no expuestos a estímulos externos, y estos estudios se centraron en la amígdala, una estructura con forma de almendra dentro de cada hemisferio del cerebro asociada con el proceso de las emociones. Y el resultado de estos experimentos es que las dos partes del cerebro también cambian en su simetría según la orientación sexual de la persona".

José, un joven inteligente graduado con honores de la Universidad, estaba utilizando drogas y alcohol y no podía mantener un trabajo estable. Tenía su novia desde hacía varios meses, muy linda y se querían mucho. Era un joven muy popular y querido entre sus amistades por la calidez de su carácter. En nuestro encuentro él me contó que durante su niñez fue objeto bulismo y que aún en sus trabajos actuales era víctima de bulismo por sus superiores.

Cuando él me consultó estaba cansado y sin esperanza, los ciclos de dolor y de no aceptación de sí mismos habían regresado y se deprimía. Uno de sus sueños era moverse para la gran ciudad y trabajar en el arte que era su pasión. Pero por todo lo que le estaba pasando, veía muy lejos que esto se volviera realidad.

Cuando fuimos a su niñez, José se da cuenta de que desde que tenía 6 años empezó a sentir atracción por los niños pero su espontaneidad de niño que mostraba estos sentimientos, creó inseguridad en las maestras y allí comenzó su calvario. Fue un niño que estuvo varias veces con depresión. Le recomendaban medicamentos, funcionaba un tiempo pero nuevamente regresaba a su dolor. Su padre lo apoyaba grandemente, pero José nunca tuvo el valor de decirles a sus padres que era gay.

Al conectarse con su niño interior pudo observar detenidamente lo que vivió en ese entonces y decirle que él era un niño normal, que estaba bien lo que el sentía y que no era su culpa. Admitió lo que por muchos años no había podido admitir y dijo: "Soy gay Mercedes, soy gay". Una paz brilló en sus ojos, una sonrisa se dibujó en su rostro, tomó una decisión y me dijo en ese momento: "Primero le diré a mi novia y luego le diré a mi familia". Y así lo hizo. No habían pasado ni tres semanas cuando pudo moverse a la ciudad deseada y está viviendo la vida sin sentimiento de culpa y sin ocultar su verdadera identidad.

Relaciones de parejas gay

Los problemas de pareja que viven las personas del mismo sexo no son diferentes a las que se dan en las relaciones heterosexuales. En mi práctica he atendido muchos casos de parejas y cuando estoy frente a una pareja gay veo que los problemas son similares.

Es la falta de aceptación, el no valorarse, el no amarse lo que produce las discordias en las relaciones. Cuando una persona gay trabaja con su niño interior, logra aceptarse, amarse y valorarse. Esto se verá reflejado en su vida y sus relaciones. (Ver el capítulo Tu niño interior y las relaciones).

CAPÍTULO 10

Tu niño Interior y La Salud

> *"Un resentimiento largamente cultivado puede carcomer el cuerpo hasta convertirse en la enfermedad que llamamos cáncer".*
> *Louise Hay*

Es increíble pensar que nuestras enfermedades en el presente tienen que ver con lo que se te programó o viviste en tu niñez. Muchos de mis clientes, cuando llegan a la consulta, no mencionan sus enfermedades, sino sus relaciones pero hay algo tan claro como lo que muchos grandes científicos y maestros espirituales han dicho: "Todo está conectado a todo", "No se puede separar la parte del todo". Una vez que sanas tu mente, tu enfermedad desaparece.

Si haces un viaje detenido a tu pasado te darás cuenta cómo muchas veces la enfermedad fue motivo de manipulación e imponer una voluntad, ya sea por parte de tu madre o tu padre. Otro fenómeno que se daba era que la enfermedad era la única manera en la que tu madre recibía amor o atención de tu padre y aprendiste a observar que si tú te enfermabas sucedía lo mismo.

Tengo una cliente que tuvo que estar hospitalizada muchas veces cuando niña y solamente en el hospital encontraba paz, gente sonriente, que la valoraba y hoy en el presente, aun cuando entiende el Poder del pensamiento, su niña interior creó que su cuerpo manifestara una enfermedad donde tiene que ir cada ciertos meses al hospital, para ser observada. Tuvimos una sesión y hablamos con su niña interior y va a ser interesante observar cómo su doctor eventualmente le dirá "Ya no tienes que regresar estás sana".

> *"Hay que aclarar que es el deseo o la voluntad del adulto seguir siendo gobernado por su niño interior o realmente volverse un adulto". Mercedes Guzmán*

La energía negativa por la constante autoridad injusta de uno de tus padres, el estrés vivido en el hogar, el resentimiento por la humillación, el abandono, los golpes e incluso la ausencia de tus progenitores, va siendo guardado en tu cuerpo emocional o subconsciente. Luego al ir creciendo, estas heridas se abren y la realidad se ve apocada por la percepción de tu dolor y eventualmente sale en forma de enfermedad como reumatismo, presión alta, cáncer, colesterol, para seguir recreando los mismos ciclos.

En uno de los libros sagrados hay una escritura que dice

> *"No es lo que entra en el hombre lo que le daña, sino lo que sale de la boca de él".*
> *Mateo 15:11*

Es por eso de suma importancia que te reconectes, re-programes con tu niño interior y soltar todo estos pensamientos y sentimientos guardados. La ciencia, junto a los estudios de medicina, ha realizado incontables experimentos donde se muestra cómo el efecto de nuestros pensamientos, creencias y sentimientos, realizan casi instantáneamente y milagrosamente enfermedades o la remisión de estas. Y la conclusión sorprendente entre estos estudios es que, cuando una persona se sana de alguna enfermedad con un placebo, es por el hecho de que las enfermeras, doctores, personal del hospital, hicieron un esfuerzo mayor donde esta persona se sintió atendida, que importaba y que de alguna manera contaba. O sea, su niño interior recibió eso que tanto anhelaba y el adulto ya ha olvidado.

"Así que mis amadas enfermeras y doctores, cuando veas a un paciente que recurre y recurre a emergencia, utiliza la imaginación y mentalmente pretende que hablas con su niño interior y dile que él se merece estar sano, que se ame y se valore para que no tenga que estar regresando cada vez al hospital. O referirlo a un psicólogo que entienda sobre el niño interior para que le ayude a sanar sus heridas emocionales".
Mercedes Guzmán

El deseo del ser humano, es sentirse que vale, es amado y valorado. Pero muchos de estos adultos, no se dan cuenta de que eso que todo niño se merece al ir creciendo, no fue proveído. En su lugar fueron niños olvidados, maltratados y su alimento emocional fue negado

CAPÍTULO 11

La MADRE o EL PADRE puede crear enfermedad en sus hijos

Hay un Síndrome conocido como El Síndrome de Münchhausen, bautizado en 1951 así por el dr. británico Richard Asher, endocrinólogo y hematólogo, definido como uno de los "Trastornos Ficticios" en la clasificación psiquiátrica internacional. Esta enfermedad mental es más conocida por una variante, "El Síndrome de Münchhausen Por Poderes", por el cual un adulto provoca o hace fingir enfermedades en un niño a su cargo, por lo general hijos, aunque pueden ser sobrinos, nietos, o hasta niños bajo cuidado, como en el caso de niñeras que sufren de dicha enfermedad".

Muchas madres poseen este síndrome sin darse cuenta y sus efectos pueden ser muy devastadores ya que el Poder de la mente subconsciente solo obedece, no cuestiona y está dirigido a crear lo que constantemente acertamos en nuestra mente.

Existe un gran porcentaje de madres que inconscientemente crean con sus pensamientos y sentimientos enfermedades en sus niños. La mayoría de estas madres vivieron una vida muy dura y traumática en su niñez. Al momento de escoger una pareja, atraen compañeros de vida que las pone en circunstancias similares de dolor, abandono, rechazo y humillación. En medio de sus problemas de pareja salen embarazadas e inconscientemente no entienden que todo lo que están experimentando a ese nivel profundo del subconsciente, crea un efecto en el feto, que desde ya, está recibiendo y aceptando todo lo que mamá está sintiendo. He tenido clientes que desde que estaban embarazadas, temían y se preocupaban porque su niño iba a nacer enfermo.

La madre, sin saber del poder de sus pensamientos y emociones, no buscan la manera de cambiar su forma de pensar, sino que sigue en su dolor, sintiendo que son víctimas de las circunstancias, creando estrés en la formación del feto. Vale aclarar que con esto no trato de tapar el error de la pareja. Este es otro tema. (Ver El niño interior y las relaciones).

Estas madres no quieren hacerle daño a sus criaturas de ninguna manera pero, sin darse cuenta, sus niñas interiores que no sabían mejor, vivía observando y aceptando que la única manera de sentir amor por otros era preocuparse por mamá o papá, o que solamente con la enfermedad veía que papá y mamá se unían y mostraban amor; su niña interior tiene que protegerte y va a buscar soluciones similares y una de estas soluciones que aprendió fue crear enfermedad para ver si así al menos el dolor, abandono, rechazo que la madre adulta está experimentando en el presente, desaparece. Recreando este patrón nuevamente y sin darse cuenta, le da vida a una realidad muy triste que afecta a su bebé.

Estas enfermedades recreadas en sus niños pueden abarcar desde el autismo, enfermedades pulmonares, virus, cáncer y hasta la muerte.

CAPÍTULO 12

Mi niña interior y la enfermedad

"La perspectiva biocognitiva ofrece un modelo unificado en el cual las creencias culturales y espirituales influyen los procesos biológicos que afectan la salud".
Dr. Mario E. Martínez

Desde que tengo uso de razón, vi a mi madre enferma. Recuerdo el sentimiento de impotencia de no poder parar su dolor y verle muchas veces en cama o algunas veces en el hospital. Era como que cada vez se creaba una nueva enfermedad y se respiraba una energía de culpa, así lo percibía, como si yo fuera responsable de lo que le pasaba a mamá, por consiguiente tenía que ser más obediente. Por no tener seguro médico y las farmacias en mi país no tenían regulación, muchas veces las personas se automedicaban, pero la medicina no era barata y por eso se usaban las hierbas lo más que se pudiera. Las frases que decíamos eran "No andes descalza, te va dar gripe", "Si no comes suficiente, te vas a enfermar". Crecí con la "caña fístula", para los parásitos, el

Vicvaporu o mentol, limón y miel para la tos y la gripe, Alka seltzer para dolor de estómago y aspirina para los dolores.

Recuerdo que en mi mente yo acepté que la enfermedad llega y no tienes control de ella. Luego mi cuerpo cuando tenía mi menstruación empezó a mostrar esta realidad produciendo inflamación y mucho dolor y sentía cómo mi madre se preocupaba por mí en esos momentos y me mostraba amor. Lo interesante es que mi menstruación llegaba en la noche y era cuando pasaba muchas horas con tanto dolor y mi madre se despertaba a auxiliarme. Era como que mi mente decía, "aquí la tendrás para ti solita". Ahora lo veo así.

A mis doce años la mamá de mi papá, la abuelita María, se volvió demente y quedó como una niña, llamaba a su mamá y no podía dormir en la noche. La llevaron a vivir con nosotros y recuerdo que yo la calmaba, ya que ella en su demencia, pensaba que yo era su mamá. Yo quería mucho a mi abuelita y ella murió cuando yo tenía 15 años. A mi padre años más tarde le dio la misma enfermedad e inconscientemente yo asumí que yo soy la próxima. Mi madre, en su ignorancia por no entender mi carácter, todo el tiempo me decía que yo "era muy nerviosa". Por esa programación y el estrés que vivía empecé a crear tics nerviosos en la cara, constipación, problemas en la garganta. Enfermedades que, ahora sé, eran producidas por el condicionamiento en que fui criada y lo que fui aceptando del medio.

A los 20 años, me mantuve alejada de doctores y si sentía cualquier malestar, buscaba lo que ya conocía. Cuando me case a los 23 años, salí embarazada dos veces y mi cuerpo aborto los fetos. Una experiencia muy dolorosa y triste. Esto me llevó a visitar doctores y tomar pastillas muy fuertes. Mi esposo había crecido igual en relación a la medicina, no había tiempo para chequeos mensuales o visitas al doctor de la familia. A él ni le gustaba tomar pastillas para el dolor. A mis 26 años embarazada nuevamente, nos mudamos para los Estados Unidos desde El Salvador, donde nació en un hospital de Texas, nuestra hermosa primogénita, Yanica Lee. Al año quede embarazada nuevamente, no teníamos seguro médico, ya que mi esposo había puesto su propia compañía. Es allí donde entré en el mundo de las parteras y tuve mis próximos cuatro hijos en casa.

Durante mi despertar a mi niña interior, empecé a leer un libro muy poderoso que me ayudó a reforzar el conocimiento que nosotros creamos con nuestros pensamientos Principios Básicos de la Ciencia de la Mente por el Dr. Frederick Bailes. Por haber tenido a mis hijos en la casa y haber trabajado con parteras y doctores naturistas, hasta este punto solo había usado hierbas para sanar a mis hijos y nunca los había llevado a pediatras. Con este libro aprendí el poder la oración científica. Que dice "Da gracias y siente que lo que has pedido ya está contestado". La manera en que empecé a aplicar este concepto fue porque me sentía exhausta, por haber tenido cinco niños en el espacio de seis años y medio, con "escuela en la casa" 'homeschool' (El gobierno de los Estados Unidos, le permite a los padres enseñar a sus niños en casa). Estaba tan cansada ya que por las noches algunos de mis niños se despertaban, amamantaba a mi bebe y muchas veces no dormía.

En mi desesperación empecé a utilizar La Oración científica. Cuando uno de mis niños empezaba a toser o llorar, inmediatamente repetía la oración científica. Decía el nombre de mi niño y luego repetía "Es un hijo de la Luz, sano y perfecto, sus pulmones son saludables, él descansa y despierta feliz. Entrego esto a Dios sabiendo que esto ya está hecho". Milagrosamente, la mayoría de las veces funcionaba y sentía tanto agradecimiento ya que no tenía que levantarme. Fue así como empecé a tener mucha más fe en este proceso, que me llevó a utilizar menos hierbas y más oración.

Por ser la maestra de mis hijos, incluía estas enseñanzas diariamente y ellos aprendieron a aceptar que pueden ser sanos si su mente lo acepta. Hasta el día de hoy cuando uno de ellos tiene una gripe o algún malestar, no corren a doctores sino que recurren a las hierbas, a la vitamina C o té.

Personalmente ya dejé de contar los más de 20 años que no he visitado ningún doctor, ya que cada vez que siento algo en mi cuerpo recurro a la oración científica y siempre funciona en mí.

Te invito a que te informes sobre cómo sanar tu cuerpo con medicina alternativa, meditación y estudies las grandes mentes que han logrado este proceso.

CAPÍTULO 13

El éxito y tu niño interior

"Así como un manantial del que brota agua inagotablemente, de esa manera, tu niño olvidado hará brotar éxitos infinitos en tu vida". Mercedes Guzmán

Desde que comenzó mi despertar en el año 1997 me embarque en una búsqueda de conocimiento y entendimiento acerca del proceso de la mente, las emociones y como estas son gobernadas por tu cerebro. Puse mi intención de aprender y aplicar todo lo que fuera necesario para calmar el dolor que sentía. Pedi en oración que quería "llegar a esos de niveles de conocimiento que yo no sabia que existían, pero Dios si sabia." Empece a leer los pocos libros que tenía. Luego empece a notar que era como que El Universo me enviaba la información por medio de muchos libros que llegaban a mi milagrosamente y estaba empeñada y leí interminables horas.

Sin saber el proceso por el que estaba pasando, empece en la iglesia a la que asistía en ese entonces, a escuchar a muchas personas que se acercaban a mi a pedir consejo y mi corazón se abrió y sentí ese gran llamado solo de ayudar.

Había una fuerza Divina que me guiaba, me entrenaba en como estar mas consciente de mis emociones, fui sintiendo como este Poder me daba tarea para ver si había aprendido el concepto del perdón, aceptación, etc. Luego venían los exámenes de toda las materias de la vida y finalmente me graduó con un doctorado de la vida, por medio de un proceso emocional, físico y espiritual que duro muchos años. Hasta que llego el momento de salir al campo y enseñar a otros a hacer lo mismo.

Las vidas de muchos se iban transformando a raíz de mis consejos, luego estas mismas personas me referían a otras personas y mi nombre se hizo una cadena. Pero era tanto mi cambio que siete años en esta preparación, en el 2004 tomo la decisión de tomar un curso para hablar en publico y con la ayuda de unas personas, comienzo a dar clases de Metafísica en un centro llamado Unity North en Marietta, Ga. El grupo en español creció y fue allí, mientras cada Jueves daba las clases donde salieron otra clase de miedos, temores, dudas, sentimientos de baja autoestima, etc., ¿Lo estaré haciendo bien? ¿Que si esto no es lo que tengo que hacer? Pero ya no había vuelta atrás, Dios tenia un propósito mayor.

Por las discusiones que teníamos con mi esposo, muchas veces deseaba parar de dar clases y quedarme en el papel de mamá, ama de casa, esposa, etc. Invertía del dinero de la familia, dando mis clases gratuitamente, ya que 'cobrar' me daba tanta vergüenza. En mi mente y dolor, pensaba que mi esposo se resistía a que yo tuviera que ser una persona publica. Esta época era sin darme cuenta, otra escuela que me mostró todas las programaciones erróneas sobre el dinero y el éxito que se había aceptado en mi niñez y ahora mi niña olvidada estaba saboteando mi sueño. El éxito es personal, si no se ve económicamente que estas produciendo, muchas veces tus seres queridos no te entenderán. El éxito es un proceso que lleva tiempo, pero si le enseñas a tu niño olvidado que "el/ella se merece" este llega mas pronto.

> *"El éxito es aprender a ir de fracaso en fracaso sin desesperarse". Winston Churchill*

En el 2005 aplicando la Ley de la Atracción, sin tener dinero en el banco, por no saber manejar nuestras finanzas y tener tantas programaciones en relación al dinero, pero manteniendo la fe, la visión y actuando junto a esta Ley maravillosa, nos pasamos a vivir de una manera milagrosa, a una casa nueva y hermosa, muebles nuevos, en una area bellísima, mi esposo obtuvo un trabajo que pagaba super bien, etc., era como que El Universo orquestara todo grandiosamente para ir manifestando paso a paso nuestros deseos.

Esto me daba autoridad para seguir enseñando ya que podia mostrar desde el ejemplo, que si se aplican las leyes correspondientes,se puede crear lo que uno mas anhela. Este conocimiento se reforzaba mas cuando al grupo que enseñaba todos los Jueves crecía cada ves mas.

Aun con toda esta manifestación y abundancia, yo estaba sufriendo en relación al dinero. Sentía que no me merecía, pero esto lo guardaba en silencio. A ese tiempo no le ponía atención a mi niña interior olvidada y ella me gritaba el miedo sobre el dinero y yo inconscientemente no escuchaba. Pero en mis momentos de mas desesperación pedía guía y muchas veces me tiraba al suelo a llorar y decir "ya no puedo mas, esto es muy doloroso, como puedo hablar de abundancia, cuando yo me siento de esta manera". Y siempre surgía un milagro que me ponía de regreso en el camino.

Esto era solo el comienzo de un nuevo ciclo. En el 2008 nos movimos a la Florida, ya que le ofrecieron a mi esposo otro trabajo excelente ganando una salario de seis figuras. Deje el grupo, pero la gente me seguía pidiendo consejo y algunos me decían ¿Podría hablar a mi hermana en Colombia o algunos en Peru, Mexico, etc., y darle una sesión? Es cuando realizo que esto es algo que puedo hacer alrededor del mundo, utilizando la tecnología. Y así comienzo a dar asesorías por teléfono alrededor del mundo.

Cuando llegue a la Florida empece a hacer mas estudios por el internet, cree un canal en 'youtube' que ahora es visto en todo el mundo. Luego por la conexión con una amiga, ella me presenta a una persona muy hermosa en el Paso, Texas que conducía un programa en Univision Radio, y por dos años consecutivos me llamaban cada Jueves para dar un mensaje de inspiración. Una persona del Paso, se empieza a conectar conmigo por e-mail y me dice que me puede ayudar a crear mi web-site y decido poner mi primer web-site que en ese tiempo le llame igual que al segmento que tenía en la radio, "Hablemos con Mercedes".

Mi esposo por la crisis en los Estados Unidos en el 2010, perdió su trabajo. De la noche a la mañana, parecía que todo se desvanecía pero empezamos a aplicar todo lo aprendido. El día que me llamo para decirme que no teníamos trabajo, le dije hay que irlo a celebrar al restaurante mas caro que hay aquí en la Florida y así lo hicimos.

Fue entonces que sale la idea de dar conferencias. El Universo abrió los caminos y fui al Paso, Texas y a Mexico a compartir un mensaje de esperanza en medio de la crisis económica. Fue una época de mucha gratitud, pues pudimos ver que todo el trabajo y esfuerzo de mi despertar, estaba dando ahora dividendos y se estaba expandiendo. Vimos la mano Divina manifestarse hasta en las cosas mas pequeñas.

> *"Para lograr el éxito, mantenga un aspecto bronceado, viva en un edificio elegante, aunque sea en el sótano, déjese ver en los restaurantes de moda, aunque sólo se tome una copa, y si pide prestado, pida mucho".*
> *Aristóteles Onassis*

Desde el 2009 todo dio un giro y comenzaron mas milagros a manifestarse. Una persona muy hermosa que conocí en ese tiempo, me dijo que para que yo hiciera todo de una manera legal, ya que no era psicóloga, que me volviera Reverenda y así lo hice. Desde entonces vengo dando conferencias, talleres de toda clase en diferentes países del mundo. He conocido personas muy importantes que me han ayudado en mi proceso, he aconsejado diplomáticos, artistas, madres, niños, etc., He recibido premios, escrito varios artículos, sigo siendo entrevistada en varios canales de television y radio y he viajado a varios países a compartir mi mensaje del niño Interior.

No ha sido fácil, he tenido muchos tropiezos, me he caído y levantado, he sufrido humillación, rechazo, abandono, burlas, etc., pero aprendi que nada viene a destruirme, todo viene a elevarme.

Se que no hay un final, mientras estemos vivos, seguiremos caminando y bendiciendo a miles por medio de nuestro ejemplo.

Todavía sigo hablando con mi Merceditas, ahora ella esta mas cerca de mi, su inocencia e inteligencia me dan tanta ternura, fuerza y confianza para seguir, siempre le informo de lo que me esta ocurriendo y la invito a que siempre este conmigo. Ella es el medio por el cual estoy mas conectada con Dios y el Cielo.

Te invito a que no desistas en tus sueños, no desistas en tu niño olvidado, conéctate, re-programa, transfórmate y el éxito que te pertenece por Derecho Divino vienen de la mano.

CAPÍTULO 14

Ejercicios prácticos para re-conectarte con tu niño olvidado

> *"La imaginación es más importante que el conocimiento". Albert Einstein*
>
> *"Usa tu imaginación: Llama a tu niño interior por su nombre y este momento presente camina con el". Mercedes Guzmán*

Que tu niño interior te diga lo que sentía

Busca un lugar cómodo cada día, toma papel y lápiz, luego utiliza una música de meditación que haga que tu mente se calme. Que sea tu intención sacar todas las memorias que recuerdas de tus primeros cinco años. No trates de justificar a ningún adulto, escucha a tu niño interior, aunque sientas que "se merecía lo que le pasó, aunque sientas que eras malcriado, deshonesto, haragán". Dale la oportunidad a tu niño interior de que te diga lo que realmente sentía a esa corta edad.

Habla con tu niño interior

A tu niño interior le encanta que le llames por su nombre con ternura. Cada vez que sientas angustia, dolor, enojo, frustración o rabia, habla con tu niño interior de esta manera. Di tu nombre como te llamaban de niño, ejemplo "Carlitos, vamos a soltar este enojo, te amo, gracias". "Lorena mi niña, vamos a soltar esta tristeza, te amo, gracias". Esto activará a tu subconsciente a escuchar y entender, eventualmente soltando las historias que están provocando el sentimiento.

Tu niño interior te ayuda con problemas de pareja

Cada noche toma unos dos minutos y antes de dormir llama a tu niño o niña interior por su nombre, dile que te muestre lo que ella o él aceptó sobre el amor, las relaciones y luego dile que ya no busque a papa o mama en su pareja. Y si no tienes pareja, dile que ya pare de buscar a papá o mamá y que ahora Tú el adulto va a buscar a la persona con la que deseas pasar la vida juntos.

Tu niño interior te ayuda con los problemas de dinero

Toma un papel y escribe: Mi niño ¿Qué sientes cuando digo la palabra DINERO? Luego, pausa, respira y permite que tu niño te guíe. Juntos suelten todas esas memorias de escasez, personas, dolor o miedos en relación al dinero y dile a ese niño que el se merece tener dinero y abundancia. Afirmación: Mi niño interior y yo aceptamos la abundancia infinita. Amo el dinero y el dinero me ama. Lo doy con amor y regresa a mi multiplicado.

Puedes enseñarle bondad a tu niño interior

Cada vez que sientas y observes las emociones como la ira, el resentimiento y la tristeza, no trates de suprimirlo. En cambio realiza que estas emociones vienen de una variedad de recuerdos almacenados desde tu infancia. Cierra tus ojos conéctate con tu niño interior de 10 años o una edad menor. Luego llámale por su nombre e imagina que esta frente a ti. Tu te bajas a su nivel. Le miras a sus ojos y le dices "No fue tu culpa, nunca lo fue, ni lo será". Dale un abrazo y dile que se quede contigo. Al ser amable contigo mismo te ayuda a desarrollar una relación genuina con tu niño interior. En lugar de sentirte mal por tus sentimientos, acepta; suelta, y entonces tendrás espacio para ser bondadoso contigo, tu niño interior y los demás.

Tu niño interior necesita palabras cariñosas y estímulo

Habla con tu niño interior como te hubiera gustado que los adultos a tu alrededor te hubieran hablado. Ejemplos: "No es tu culpa que te sientes menos que tu prima" "Esto ya va a pasar" "Eres increíble" "Eres inteligente" "Perdóname que te hable de esa manera", "Tu perteneces", "Eres suficiente"etc., Si te gustaba dibujar, cantar, bailar, date el permiso e inscribe te en unas clases y ve con tu niño interior a esas clases. Veras como tu vida se expande cada día.

Involucra a tu niño interior en tu vida diaria

¿Te has dado cuenta de lo emocionados que los niños se ponen cuando les pides que te ayuden? Nuestro niño interior hace lo mismo. Cada vez que necesites ayuda adicional y con amabilidad, llama a tu niño interior de 6 o 10 años de edad y le dices "Me puedes ayudar a que termine este proyecto, por favor?" "¿Puedes ayudarme a solucionar este problema con mi pareja? ", etc. Te darás cuenta como se da un cambio energético alrededor de ti. La sabiduría, la creatividad y la inspiración se manifestará de una manera sutil y se creara un remolino hermoso de soluciones.

Tu niño interior necesita desarrollar paciencia

La impaciencia es una programación en nuestro niño interior que causa muchos fracasos. Es una señal de que al crecer, no se te dio el espacio para cometer errores y queremos ver cualquier problema arreglado para "ayer". Permítete cometer errores y saber que está bien. Nada grande se construyó en un día. La Sanación emocional también implica dejar de lado todo lo que no es propicio para un ambiente emocional positivo. Cuando sientas impaciencia, abrázate pensando que estas abrazando a tu niño interior y luego has el sonido 'shshshshs' por unos minutos. La impaciencia, enojo y frustración se disminuye y podrás poco a poco ver la solución.

Viaja a través del tiempo con tu niño interior

Esta técnica puede ayudarte enormemente! Cada noche toma unos minutos para; observa tu día y si encuentras algo como una discusión con tu jefe, un problema con tu hijo, tu pareja, tu familia, amigos, etc. Llama por su nombre a tu niño interior y observa de que edad se aparece, digamos que aparece a los 8 años. Usa tu imaginación, agarrado de la mano de tu niño interior, respiras profundamente 3 veces y viajas a ese período de tiempo específico en tu mente y observa detenidamente que realmente estaba pasando en tu vida a esa edad y pon atención el porqué estas creando la situación que te esta sucediendo en el momento actual.

Luego con el conocimiento de adulto, le explicas a tu niño interior lo que realmente estaba pasando. Por ejemplo, en una ocasión que discutí con mi esposo por dinero, llame a mi niña interior y se apareció la imagen de la niña de 10 años, le pregunte porque yo me había molestado tanto con mi esposo, en ese momento se vino a la memoria cuando yo deseaba un par de zapatos nuevos y mi madre no me los pudo comprar y ahora en el presente yo deseaba algo y mi esposo me dijo que no podíamos por cuestiones de dinero.

En ese momento hable con mi niña interior y le dije, "Daniel (mi esposo) no es mama y que si yo deseo comprarme lo que necesito, puedo hacerlo sin pedir permiso." Y rápidamente me sentí en paz y el enojo con mi esposo desapareció.

Mentalmente habla con tu niño interior, libera suavemente cualquier recuerdo del pasado y visualiza una luz hermosa llenando el espacio de mucho amor. Luego ve con tu niño a la playa o un lugar de mucha paz que te imagines y juntos repitan la palabra LIBERTAD, tres veces.

Conclusión

Es mi deseo que estas páginas te traigan esperanza, paz y confianza que hay un camino para llegar al cielo y que tu niño que ha estado olvidado posee ese poder para transportarte al amor y la inocencia.

Cada día que pasa siento tanto agradecimiento de ver como mi vida continua transformándose por la conexión con mi niña interior. Es por eso que te invito que compartas este libro, para que el milagro de regreso al amor y la inocencia al reconectar tu niño olvidando se siga manifestando en el mundo.

Concluyo mi libro con el mensaje que nos da Un Curso de Milagros, lección 182 sobre el Niño Interior Olvidado:

Mas en ti hay un Niño que anda buscando la casa de Su Padre, pues sabe que Él es un extraño aquí. Su infancia es eterna, llena de una inocencia que ha de perdurar para siempre. Por dondequiera que este Niño camina es tierra santa. Su santidad es lo que ilumina al Cielo, y lo que trae a la tierra el prístino reflejo de la luz que brilla en lo alto, en la que el

Cielo y la tierra se encuentran unidos cual uno solo.

Este Niño que mora en ti es el que tu Padre conoce como Su Hijo. Este Niño que mora en ti es el que conoce a Su Padre. Él anhela tan profunda e incesantemente volver a Su hogar, que Su voz te suplica que lo dejes descansar por un momento. Tú eres también Su hogar. Este Niño necesita tu protección. Se encuentra muy lejos de Su hogar. Es tan pequeño que parece muy fácil no hacerle caso y no oír Su vocecilla, quedando así Su llamada de auxilio ahogada en los estridentes sonidos y destemplados y discordantes ruidos del mundo. No obstante, Él sabe que en ti aún radica Su protección. Tú no le fallarás. Él volverá a Su hogar, y tú lo acompañarás.

Este Niño es tu indefensión, tu fortaleza. Él confía en ti. Vino porque sabía que tú no le fallarías. Te habla incesantemente de Su hogar con suaves murmullos. Pues desea llevarte consigo de vuelta a él, a fin de poder Él Mismo permanecer allí y no tener que regresar de nuevo a donde no le corresponde estar y donde vive proscrito en un mundo de pensamientos que le son ajenos. Su paciencia es infinita.

Esperará hasta que oigas Su dulce Voz dentro de ti instándote a que lo dejes ir en paz, junto contigo, a donde Él se encuentra en Su casa, al igual que tú.

Bibliografía

Libros

The Child, the Family, and the Outside World - D. W. Winnicott - Penguin - 1991

The Divine Matrix - Gregg Braden - 2007

Principios Básicos de la Ciencia de la Mente, Frederik Bailes - June 1, 1951

Homecoming: Reclaiming and Championing Your Inner Child - John Bradshaw - February 1, 1992

"El Poder de la Intención" - Wayne Dyer - August 1, 2005

The Biology of Belief - Bruce H. Lipton, Ph.D. - Hay House - November 30, 2007

Usted Puede Sanar su vida - Louise Hay - Septiembre 1, 1992

Dr. David Hawkins "Dejar Ir, el Camino de la Entrega" - El Grano de Mostaza - 2014

La Ley De Atracción: Conceptos básicos de las enseñanzas de Abraham" Esther y Jerry Hicks - Noviembre 1, 2007

Documentales o películas

El Secreto - Documental - Edición Español - 2007

What the bleep do we know!? - 2005

Otras Referencias

https://www.heartmath.org

La niñez de Hitler: https://meriloco.wordpress. com/2008/05/28/adolf-hitler-i-infancia-y-adolescencia/

Estudio del National Geographic: http:// nationalgeographic.es/ciencia/salud-y- cuerpo-humano/cerebro-gays-similar-mujeres- hetero

El Síndrome de Münchhausen publicado por Medline Plus https://www.nlm.nih.gov/ medlineplus/spanish/ency/article/001555.htm

Publicado por Ashley Colon on Prezi https:// prezi.com/cykncpu0qoxc/copy-of-sindrome-de-miinchausen/

Un Curso de Milagros - Foundation for Inner Peace - September 1, 2007

CPSIA information can be obtained
at www.ICGtesting.com
Printed in the USA
LVOW04s0948120316

478876LV00003B/4/P